GW00538183

Gaelic Idioms

English – Irish

© **Forsai Publications**
Date of Publication: 2004
Author: Garry Bannister
Distributors:
**Áisínteacht, 31 Sr. na bhFíníní,
Baile Átha Cliath 2, Éire,
Fón: 01 6616522 – Fax: 01 6612378**
ISBN: 0-9541038-6-6

Preface

This small fun-size dictionary includes both Gaeltacht and non-Gaeltacht idioms which are reflected in the vocabulary of contemporary native Irish speakers. It provides also a light sprinkling of some older expressions which, although less commonly used, can still be found in both modern Gaelic speech and literature.

English idioms and commonly used turns-of-phrase have been given their Gaelic equivalents. Some of these idioms are the result of a ping-pong interchange between the Gaelic and English languages. For example, an idiom may have started out as an original Gaelic expression which has been translated and then widely accepted by English speakers. Over the course of time, the idiom may mutate and is then re-translated back, becoming a Gaelic expression where it may be used again by Gaelic speakers but now in its new mutated form:

e.g. **Bhí an chraic nócha!** *The craic was ninety!*

Bhí an chraic nócha!
re-translation

The craic was ninety!
mutation

The craic was mighty!
translation

Bhí an chraic thar barr!

Idiom in any language enriches and empowers the speaker with colour and efficacy of expression.

> **Tá sé ag caitheamh sceana gréasaí.**
> *(literally) It is throwing cobbler's knives (i.e. it is raining very heavily);* or:
> **Urchar bodaigh i bpoll móna**
> *(literally) a rascal's shot in a bog-hole (i.e. a shot in the dark/ a guess);* or:
> **Ná tabhair ar chamán ná ar liathróid é!**
> *(literally) Do not take him to a hurling-stick or a ball!*
> *(i.e. Take precious care of him!).*

These are only some examples of the colourful and historically deep-rooted idioms that you can found in this dictionary.

This small dictionary can be enjoyed by either absolute beginners or used by those who wish to develop and enrich their spoken Irish by simply dipping into from time to time.

The dictionary may also be useful for those who might be sitting the Leaving Certificate oral Irish examination. The candidate who can say:

> **Níl an scoil ach faoi urchar cloiche ó mo theach.**
> *(The school is only a stone's throw away from my house)*; or:
> **Ní bhíonn saol an mhadra bháin ag na déagóirí inniu.**
> *(Teenagers don't have a cushy life today.)*; or:
> **Sin bun agus barr an scéil.**
> *(That's the long and the short of it.)*

will certainly impress any examiner.

Be careful, however, as idioms can sometimes be treacherous. Always use them carefully. Remember the precautionary tale of the foreigner who, wanting to stand up for his English friend whom he felt knew everything there was to know about gardening, exclaimed indignantly: *"People think my friend knows damn nothing about gardening - well, I can tell you he knows damn all!"*

If you enjoy this book – try other books in this series such as **'Essential Irish'**, which has a list of useful thematic phrases for everyday occasions, a simplified grammar section and a collection of popular Gaelic proverbs with their English equivalents.

So, come on! No more beating round the bush! Lets get the ball rolling! This book is worth its weight in gold and it's a gift at the price! The explanations are as clear as crystal and as when all is said and done, learning the idioms will be as easy pie!

Beir bua!
Garry Bannister

"When your feeling sad and blue,
Remember I am here for you,
To make you laugh and make you see,
That life is like a cup of tea."

S. Bannister

Translation:

*"Nuair a bhíonn tú faoi bheann,
Le cabhrú leat, beidh mise ann,
Déan gáire is taispeánfaidh mé,
Go bhfuil an saol mar chupán tae."*

i gcuimhne m'athar
Ted Bannister

ABC
>   the ABC of maths miontosach an mhata

accord
>   He did it of his own ~. Rinne sé ar a chonlán féin é.
>   with one ~ d'aon gháir

account
>   by all ~s de réir gach scéil
>   on ~ of the war de dheasca an chogaidh
>   on ~ of her kindness de bharr a cineáltais
>   On no ~ do that! Ná déan é sin ar chuntar ar bith!
>   to take it into ~ é a chur san áireamh

ace
>   He was within an ~ of success. Is beag nár éirigh leis.
>   She ~d at maths. Fuair sí ardonóracha sa mhata.

Achilles
>   ~' heel an laige chinniúnach

acid
>   the ~ test báire na fola

across
>   right ~ the board i ngach gné den scéal

act
>   ~ of God gníomh Dé
>   He was caught in the ~. Thángthas air le linn na coire.
>   Get your ~ together! Tar ar do chiall!
>   trying to get in on the ~ ag iarraidh teacht isteach air
>   to ~ the maggot bheith ag pleidhcíocht

action
>   ~ stations! Bígí réidh!
>   He wants a slice of the ~. Tá blas den chomhraic uaidh.,
>   Teastaíonn uaidh bheith páirteach ann.

Adam
>   I don't know him from ~. Níl aithne dá laghad agam air.

add
>   It doesn't ~ up. Tá rud éigin amú anseo.

advantage

　　She took ~ of his love for her.
　　Chuir sí a grá di chun a sochair féin.
　　It will be to your ~. Rachaidh sé chun do thairbhe.

against

　　He is really up ~ it.
　　Bíonn an saol i ndáiríre ag cur ina éadan.

age

　　to come of ~ teacht in aois fir/ mná
　　the golden ~ an ré órga
　　of uncertain ~ idir an dá aois
　　It's ~s since I've seen you! Is fada nach bhfaca mé thú!
　　at the ripe old ~ of 90 ag an chnagaois mhaith de nócha
　　under ~ ró-óg

agony

　　~ aunt colúnaí crá croí

ahead

　　You're getting ~ of yourself! Táir ag rith thar do scáth!
　　She was ~ of her time. Rugadh í roimh a ham ceart.

air

　　She was putting on ~s and graces.
　　Bhí sí ag cur gothaí uirthi féin.
　　to clear the air an drochfhuil a scaipeadh
　　It's a lot of hot air! Níl ansin ach focail fholmha!
　　Níl ann ach briathar gan cur leis!

alarm

　　It was a false ~. Gáir bhréige a bhí ann.

alert

　　to be on the ~ bheith san airdeall

all

　　~ and sundry an saol agus a mháthair
　　~ in ~ tríd is tríd
　　She made an ~-out effort. Rinne sí iarracht amach is amach.
　　He's not all there. Is duine le Dia é., Tá sifil air.
　　She was ~ over him. Bhí sí doirte air.
　　when ~ is said and done tar éis an tsaoil
　　~ the better! Is amhlaidh is fearr é!

2

allowances

> We've go to make ~ on account of his personal situation.
> Caithfimid a shuíomh pearsanta a chur san áireamh.

amount

> They have any ~ of money. Tá siad ar maos le hairgead.

angel

> You're an ~! Is aingeal thú!

annoy

> She would annoy an saint.
> Chuirfeadh sí Naomh Pádraig féin ar buile.

answer

> He has an ~ for everything.
> Bíonn freagra ar gach uile shórt aige siúd!

any

> How long it will take is ~body's guess.
> Ag Dia amháin a fhios cá fhad a thógfaidh sé.
> ~ old how ar nós cuma liom
> He did the work ~ old how. Rinne sé an obair ar nós cuma liom.
> When they saw the Gardaí they ran like ~thing.
> Nuair a chonaic siad na gardaí, rith siad (as) ar luas lasrach.
> We are not getting ~where.
> Níl aon dul chun cinn á dhéanamh againn anseo.

apart

> They are polls ~. Níl goir ná gaobhar acu ar a chéile.
> Tá farraigí móra idir an dá rud sin/ idir an bheirt sin.
> Táid (ina m)bailte óna chéile (iad siúd).
> It's hard to tell them apart.
> Is deacair iad a aithint óna chéile.

apology

> That's only an ~ for an essay.
> Níl ansin ach ainm aiste.

appearance

> keeping up ~s ag déanamh ar mhaithe leis an saol mór
> Don't judge by ~s! Ní hionann i gcónaí an cófra agus a lucht.
> just for ~s' sake ar mhaithe le clú amháin
> I thought I'd better put in an ~. Cheap mé go mb'fhearr dom mé féin a thaispeáint ar feadh tamaillín.

appetite

> Hitler had an ~ for war.
> Bhí fonn cogaidh ar Hitler.
> The walk whetted my ~.
> Ghéaraigh an tsiúlóid mo ghoile.

apple

> She is the ~ of my eye. Is í m'úillín óir í.

apple-cart

> I don't want to upset the ~.
> Ní theastaíonn uaim gach uile shórt a chur bunoscionn.

apple-pie

> as American as ~
> chomh Meiriceánach agus is féidir bheith
> in ~ order go hinnealta

apron-strings

> He's still holding on to his mother's ~.
> Tá sé faoi shlat ag a mháthair fós.

argue the toss

> He's always arguing the toss. *(i.e. He's impossible to please.)*
> Dá gcuirfeá an cnoc thall abhus ar maidin dó,
> ní bheadh sé buíoch díot tráthnóna.

arm

> They were up in arms about it.
> Bhí siad réidh dul chun comhraic faoi.
> The Russians were ~ed to the teeth.
> Bhí na Rúisigh faoi iomlán airm/ armáilte ó bhun go barr.
> He was just chancing his ~. Ní raibh sé ach ag dul san fhiontar.
> ~ in ~ uillinn ar uillinn
> Keep him at ~'s length! Coinnigh fad do rí uait é!
> It would cost you an ~ and a leg. Shaillfí thú.
> long ~ of the law lámh fhada an dlí
> She twisted my ~ into letting her go to the dance. Rinne sí gach
> casadh agus lúbadh go dtí gur lig mé di dul go dtí an damhsa.

armour

> There's a chink in your ~. Tá lúb ar lár agat ansin.
> *(see also: chink)*

4

around

    I'll see you ~. Feicfidh mé thart thú!

    He's (gone) ~ the bend. Tá sé imithe leis na craobhacha.

    She said it in an ~ about way.

    Tháinig sí timpeall air gan é a rá go díreach.

ashes

    ~ to ~, dust to dust ó luaith go luaith, ó chré go cré

asleep

    She was sound ~. Bhí sí ina codladh sámh.

attendance

    She dances ~ on him. Bíonn sí ag bogadh na bláthaí dó.

avail

    It was all to no ~. Bhí sé go léir gan éifeacht ar bith.

awake

    He was wide awake. Bhí sé ina lándúiseacht.

away

    ~ with you! Imigh leat!

    Keep ~ from them! Fan amach uathu!

    She is ~ the best. Níl éinne i ngiorracht léi.

    She is far and ~ the best.

    Níl éinne fiú a choinneodh coinneal di.

    I'll be ~ next week.

    Beidh mé as baile an tseachtain seo chugainn.

axe

    I have no ~ to grind – I just want to help you.

    Ní ag tochras ar mo cheirtlín féin atáim. – Ní theastaíonn uaim ach cabhrú leat.

B

baby

    I was left holding the ~. Fágadh mise i mbun an bhacáin.

    Don't be such a cry ~! Ná déan ceolán críochnaithe díot féin!

    to throw out the ~ with the bathwater

    ag déanamh faillí féaraigh de dheasca fiailí

back

    constant ~biting cúlchaint shíoraí

    ~ to ~ le cúl a chéile

    ~ to front droim ar ais

    Put your ~ into it! Cuir do ghualainn leis!

    She did it behind my ~. Rinne sí ar chúl mo chinn é.

    He gets my ~ up. Cuireann sé de mo dhroim mé.

    ~ hander airgead chúl láimhe

    ~ seat driver tiománaí an chlaí

    When the new management came in, he had to take a ~ seat.

    Baineadh greim na srianta de le teacht na bainistíochta nua.

    away in the ~ of beyond áit éigin ar chúl éaga.

    I got my own ~ on him. Bhain mé mo chúiteamh as.

    to stab someone in the ~ buille fill a imirt ar dhuine

backwards

    I bent over ~ to help her.

    Chuir mé mo bhundún amach ag iarraidh cabhrú léi.

    One step forward two steps ~.

    Céim amháin ar aghaidh, dhá chéim siar.

bad

    He's a ~ egg. Is suarach an mac é.

    It ain't half ~! *(i.e. It's great!)* Deamhan an locht atá air!

    She is in a ~ way. Tá sí in anchaoi.

    He's going from ~ to worse.

    Tá sé ag dul ó ghiolla na sliogán go giolla na mbairneach.

    These people are very ~ news. Is mallaithe an dream iad siúd.

    They've hit a ~ patch lately.

    Bíonn sciorta den mhí-ádh orthu le déanaí.

    Too ~! Is mór an trua é!

    Not ~! D'fhéadfadh an scéal a bheith i bhfad níos measa!

badly

They're ~ off for money. Tá siad i gcruachás maidir le hairgead.

bag

It's in the bag! Tá an gnó déanta.

You let the cat out of the ~. Lig tú an mhuc as an mhála!

We have ~s of time. Tá greadadh ama againn.

She's a silly old ~! Is seanchailleach gan chiall í!

bait

He took/ swallowed the ~. Mheall an cleas é.

balance

It's still in the ~.

Táthar i gcás idir dhá chomhairle fós.

ball

We had a ~ last night! Bhí an-oíche againn aréir!

Let's get the ~ rolling! Bainimis an ceann den scéal!

to keep the ~ rolling

an scéal a choimeád seadaithe

You're very on the ~ today!

Nach tusa atá go beo gasta inniu!

bananas

If your Ma sees the room, she'll go ~.

Éireoidh do Mham ó thalamh má fheiceann sí an seomra.

The dog went ~. Chuaigh an madra le dúchas.

bandwagon

Now everyone is jumping on the ~.

Anois bíonn gach duine isteach ar an scéal.

bang

~ on time díreach in am

~ up-to-date technology an focal deiridh sa teicneolaíocht

~ goes the trip to London! Slán leat, a thurais go Londain!

It's just ~ing your head against a brick wall!

Is é cuimilt mhéire in aghaidh cloiche é!

bank

You can ~ on it!

Is féidir talamh slán a dhéanamh de!

baptism

They were given a ~ of fire on Omaha beach.

Tugadh baisteadh tine agus fola dóibh ar thrá Omaha.

bargain

> and a lot more into the ~ agus i bhfad níos mó lena chois sin
> It's a ~! *(It's a deal!)* Bíodh ina mhargadh!
> The car was a ~! *(it was cheap)* Conradh maith ea ba an carr!
> I got more than I ~ed for.
> Fuair mé rud nach ndearna mé margadh air.
> I didn't ~ for that! Ní raibh mé ag súil leis sin.

bargepole

> I wouldn't touch it with a ~.
> Ní ghlacfainn é dá bhfaighinn in aisce é.

bark

> You're ~ing up the wrong tree.
> Tá an diallait ar an each chontráilte agat.
> He's ~ing mad. Tá sé ar mire báiní.
> His ~ is worse that his bite.
> Is troime a bhagairt ná a bhuille.

barrel

> I had no other choice. They had me over a ~.
> Ní raibh an dara rogha agam. Bhí siad i ngreim scornaí ionam.
> She's a real ~ of laughs that one!
> Nach ise an seargánach ceart!
> They're really scraping the bottom of the ~ if they're
> broadcasting stories like that as news. Tá siad i ndairíre
> ag screamhaireacht má bhíonn siad ag craoladh a leithéid de
> scéalta mar nuacht.

basket

> He's a ~ case.
> Tá seisean le cur i veist cheangail.

bat

> silly old ~ seanchailleach amaideach
> She has got ~s in the belfry. Tá siabhrán uirthi.
> She did it off her own ~. Rinne sí ar a conlán féin é.
> like a ~ out of hell go maolchluasach, ar luas lasrach

batty

> He's ~ about her. Tá sé splanctha ina diaidh.
> He's ~. Tá sifil air.
> ~ idea smaoineamh baoth

bated

> with ~ **breath** ar cheann cipíní

bay

> **The pills will hold the illness at ~ for a while.**
> Coinneoidh na piollairí smacht ar an ghalar ar feadh tamaill.
> **He has a belly like a ~ window.** Tá bolg mar phota mór air.

be-all and end-all

> **The Leaving Cert isn't the ~ of everything in life.**
> Ní tús agus deireadh an tsaoil an Ardteistiméireacht.

beans

> **She's full of ~ today.** Tá sí lán de spleodar inniu.

bear

> ~ **with me!** Bí foighneach liom!
> **I'd like if you could ~ that in mind.**
> Bheadh áthas orm dá bhféadfá cuimhneamh air sin.

beat

> ~ **it!** Tóg ort!
> **If you can't ~ them, join them!** Téimis faoi uisce an cheatha.

beauty

> ~ **goes only skin-deep!**
> Ní hé an bhreáthacht a chuireann an crocán ag fiuchadh!
> ~ **is in the eye of the beholder.** Nochtann grá gnaoi.
> **That's the whole ~ of it!** Sin barr maise an scéil!

beaver

> **Aren't you the eager ~ to get started with the work?!**
> Nach tusa atá ar bior chun tús a chur leis an obair?!

beck

> **She's at his ~ and call.** Tá sí ar teaghrán aige.

bed

> **Being a teacher isn't exactly a ~ of roses.**
> Ní saol an mhadra bháin a bhíonn ag na múinteoirí.
> **You certainly got out of the wrong side of the ~ today!**
> Nach tusa a d'éirigh ar do chois chlé inniu!

9

bee

>He has a ~ in his bonnet about loose chippings.
>
>Bíonn an phortaireacht chéanna aige siúd i gcónaí mar gheall ar na cloichíní scaoilte.
>
>**He thinks he's the ~'s knees!**
>
>Ceapann sé an dúrud de féin!
>
>**She made a ~~line for the sweet things.**
>
>Rinne sí a slí lom díreach go dtí na sólaistí.

beer

>**That's only small ~.** Níl ansin ach pointí fánacha.

beg

>**The last cake is going (a-) ~ging!**
>
>Tá an císte deireanach le fáil ach a iarraidh!
>
>**I ~ your pardon!** Gabh mo leithscéal!
>
>**That's ~ging the question!** Tá sin le cruthú fós!
>
>**I ~ to differ!** I gcead duit, ní thagaim leat sa mhéid sin!

beggar

>**It ~s belief!** Ní chreidfeá é!
>
>**~s can't be choosers.** Is buí le bocht beagán!
>
>**You lucky ~!** Nach ortsa atá ádh an mhadra rua!

behind

>**~ the times** seanfhaiseanta
>
>**Put it all ~ you!** Cuir é sin go léir taobh thiar díot!
>
>**What's ~ all this?** Cad is bunúdar leis seo go léir?

belief

>**to the best of my ~**
>
>chomh fada le mo bharúil

believe

>**Make ~ you're an astronaut!** Cuir i gcéill gur spásaire thú!
>
>**It's all just make- ~.** Níl ann ach cur i gcéill.
>
>**~ me I've tried!** Creid uaim é is mise a thug an-iarracht faoi!
>
>**I could hardly ~ my eyes.**
>
>Ba bheag nár chreid mé radharc mo shúl.
>
>**~ it or not!** Creid nó ná creid é!

bell

> **as clear as a ~** chomh glan le criostal
> **Does that ring any ~s?** An músclaíonn sin seanchuimhne ar bith?
> **Pull the other one it's got ~s on!** Nach mé atá go leamh agat!
> **Saved by the ~!** Tagtha slán ag an nóiméad deireanach!

belt

> **to hit a person below the ~** fabhtú a thabhairt do dhuine
> **That was below the ~!** Buille fealltach ea ba é sin!
> **We'll have to tighten our ~s!**
> Caithfimid dul ar chuid an ghadhair bhig!

bend

> **I bent over backwards trying to help him.**
> Chuir mé bhundún amach ag iarraidh cabhrú leis.
> **on ~ed knees** ar an dá ghlúin
> **I'm begging you on ~ed knees!**
> Táim ar mo dhá ghlúin ag impí ort!
> **He's gone round the ~.** Tá sifil tagtha air.

benefit

> **the ~ of the doubt** sochar an amhrais
> **I'll give you the ~ of the doubt this time.**
> Tabharfaidh mé sochar an amhrais duit an uair seo.

berth

> **Give him a wide ~!** He's bad news!
> Fan i bhfad amach ón mboc seo! Ní le do leas atá seisean!

beside

> **~s, I don't care!** Thairis sin, is cuma liom!
> **That's ~ the point.** Sin dála an scéil.,
> Ní bhaineann sin leis an scéal.
> **She was ~ herself with rage.**
> Bhí sí ag imeacht as a craiceann le teann coilg.

best

> **I'm doing my level ~.** Táim ag déanamh mo sheacht ndícheall.
> **He wasn't great at the ~ of times.**
> Fiú i mbláth a mhaitheasa ní raibh sé go hiontach.
> **We spent the ~ part of a year waiting.**
> Chaitheamar an mhórchuid den bhliain ag fanacht.

11

It's for the ~! Is fearrde é

He found that it was all for the ~ in long run.
Thuig sé gurbh é lár a leasa é sa deireadh thiar thall.

You have the ~ of both worlds!
Bíonn an chuid is fearr den dá mhargadh agat!

She acted for the ~. Is le dea-rún a rinne sí é.

He's past his ~.
Tá tráth a mhaitheasa imithe thart.

You have to put your ~ foot forward!
Caithfidh tú an t-impriseán is fearr a dhéanamh!

to the ~ of my knowledge ar feadh a bhfuil a fhios agam

All the ~! Go n-éirí leat!

bet

I ~ you anything you like.
Cuirfidh mé do rogha gheall leat.

I ~ he'll be late again!
Níl dabht agam ach go mbeidh sé déanach arís!

better

~ late than never. Is fearr déanach ná choíche.

You'd ~ leave. B'fhearr duit imeacht.

I've seen ~ days! Bhí tráthanna níos rathúla ná seo agam.

So much the ~. Is amhlaidh is fearr.

He's ~ off where he is. Is fearr dó an áit ina bhfuil sé.

He decided to go one ~. Tháinig seisean ar chleas níos fearr.

You should have known ~ than to say that.
Ba chóir go mbeadh an chiall agatsa gan a leithéid a rá.

between

~ you and me eadrainn féin

~ a rock and a hard place idir dhá thine Bhealtaine

~ this and then idir seo agus sin

beyond

It's ~ compare. Níl a shárú ann.

It's going ~ a joke. Tá sé ag dul thar ghreann.

It's ~ me. Tá sé dulta sa mhuileann orm.

It's ~ praise. Tá sé os cionn molta.

It's ~ my wildest dreams to be here in Hollywood!
Ní chreidfinn go deo é go mbeinn choíche anseo in Hollywood!

It's ~ the pale. Tá sé imithe thar cailc ar fad.

at the back of ~ ar chúl éaga

bide

I'm biding my time.
Táim ag fanacht leis an cheart.

big

That's very ~ of you! Is deas uait é sin!

The ~ Apple *(i.e New York)* An tÚll Mór

He's a ~ shot in the States. Is boc mór ar an Oileán Úr é.

~ into computers sáite go mór sna ríomhairí

He likes talking ~. Is breá leis an chaint mhór.

He's got a bit to ~ for his boots these days.
Tá seisean éirithe ró-lán de lán na laethanta seo.

bill

That fits the ~.
Déanfaidh sé sin an beart.

I have to foot the ~!
Ormsa an scór a ghlanadh!

bird

He's a real home ~.
Tá sé sáite sa luaith., Is éan tí é.

He's a ~ brain.
Is éan (gan chiall ar bith) é.

A ~ in the hand is worth two in the bush.
Is fearr breac sa láimh ná bradán sa linn.

The early ~ catches the worm.
Is é an ceannaí moch a dhéanann an margadh.

A little ~ told me. Chuala mé ag dul tharam é.

~'s eye view radharc anuas

It's killing two ~s with the one stone. Díbirt an dochair
is fáil an tsochair san aon mhargadh amháin é.

birthday

in one's ~ suit gan snáithe ort

biscuit

That takes the ~! Bhuail sin amach troid choileach.

He really takes the ~! Ná iarr ina dhiaidh é!

13

bit

He was **champing at the ~!** Bhí sé ar rí na héille lena dhéanamh.
She took the ~ **between her teeth.** D'imigh sí ó smacht.
to do one's ~ do chion féin a dhéanamh
And do you think she apologised? - Not a ~ of it!
' measann tú gur ghabh sí a leithscéil? – Dheamhan a dhath!

bite

Would you like a ~ to eat?
Ar mhaith leat greim le hithe?
What's biting you? Cad tá ag déanamh scime duit?
She bit my head off. Bhain sí an tsrón díom.
Once bitten twice shy!
An té a bhuailtear sa cheann bíonn eagla air.
He bit off more than he could chew.
Ba mhó a shúil ná a ghoile., Leath sé a bhrat thar a chumhdach.
He was bitten by the same bug. Phrioc an bheach chéanna é.

bitter

Isn't he the ~ pill! Nach eisean an suarachán searbh é!
until the ~ end go bun an angair

black

He's not as ~ as he's painted. Níl sé chomh dona lena thuairisc.
He'd call ~ white. Ní aithneodh sé idir dubh agus bán.
The night was pitch ~. Bhí an oíche chomh dorcha le poll.
He was beaten ~ and blue. Buaileadh dromadaraí air.
The pot calling the kettle ~. An pota ag aor ar an gciteal.

blank

~ cheque seic bán
We drew a ~. Níor tháinig aon rud as dúinn.
He had a ~ expression. Bhí dreach marbh air.
My mind went ~. D'imigh gach smaoineamh as mo cheann.

blanket

~ cure íocshláinte
He's a bit of a wet ~.
Tá iarracht den duarcán ann.

blast

at full ~ faoi lán seoil

blessing

> **It was a ~ in disguise.** Ba rud dearfa é sa deireadh thiar thall.
> **Some things can be a ~ in disguise.** An rud is measa le duine ná a bhás b'fhéidir gurb é lár a leasa é.
> **It was a mixed ~.** Bhí buntáistí agus míbhuntáistí ag baint leis.
> **You should count your ~s.** Ba chóir go mbeifeá buíoch de Dhia as a bhfuil agat!

blind

> **It's a case of the ~ leading the ~.** Is é an dall ag déanamh an eolais don dall.
> **She turns a ~ eye to his drinking.** Ligeann sí uirthi nach bhfeiceann sí a chuid ólacháin.
> **to be ~ to the truth** bheith dall ar an fhírinne
> **He was ~ drunk.** Bhí sé caoch/ dallta ar meisce.

blink

> **The TV is on the ~.** Tá an teilifís as gléas.

block

> **I'll knock his ~ off!** Bainfidh mé an cloigeann de!
> **I put my head on the ~ over it.** Chuaigh mé i mbaol mo bháis mar gheall air.

blood

> **There's bad ~ between them.** Tá seandíoltas acu dá chéile.
> **That old organisation really needs new ~.** Tá fuil nua ag teastáil go géar ón seaneagraíocht sin.
> **~ is thicker than water.** Dá ghiorracht do dhuine a chóta is giorra dó a léine.
> **in cold ~** go fuarchúiseach
> **It makes my ~ boil.** Cuireann sé sna céádéaga mé.
> **It's like trying to get ~ from a stone.** Is doiligh olann a bhaint de ghabhar.

blow

> **He likes ~ing his own trumpet.** Is buaileam sciath é.
> **He's a ~ - in.** Ní dár gcaoirigh é.
> **She blew her top when she heard.** Chuaigh sí as a crann cumhachta nuair a chuala sí.

15

blue

He's the ~—eyed boy. Is é an peata-do-dic é.

out of the ~ mar a bheadh splanc ann

like a bolt out of the ~ mar speach ón spéir

You can talk till you're ~ in the face, he will not change his mind. D'fhéadfá bheith ag caint go dtitfeadh an t-anam asat ní thiocfaidh sé ar intinn eile.

once in the ~ moon uair sa naoi n-aird

I'm feeling ~. Táim i lagar spride.

When I told her to go to bed she screamed ~ murder. Thóg sí racán mór nuair a dúirt mé léi dul a chodladh.

~ movie scannán graosta

bluff

She called my ~. Thug sí orm cur le mo chuid cainte.

It is all just a ~. Níl ann ach cur i gcéill.

He ~ed his way out of it. D'éalaigh sé as le teann cluanaíochta.

board

It's all above ~. Níl aon chaimiléireacht ann.

right across the ~ tríd síos

All that has gone by the ~ long ago. Tá sé sin go léir curtha le haill le fada an lá anois.

boat

She burned her ~s. Níor fhág sí caoi teite ná tormais aici féin.

We're all in the same ~. Is ionann cás don iomlán againn.

Don't rock the ~! Is olc an t-éan a shalaíonn a nead féin!

body

I'm trying to keep ~ and soul together. Táim ag iarraidh greim mo bhéil a bhaint amach.

Over my dead ~! Mo chorp don diabhal sula ligfidh mé sin!, Go dté mo chorp i dtalamh sula dtarlóidh a leithéid!

bogged

I'm getting ~ down in this work. Táim dulta in abar leis an obair seo.

boil

It all ~s down to this. Is é bun agus barr an scéil.

She was ~ing with rage. Bhí sí ag coipeadh le fearg.

bolt

He made a ~ for the door. Thug sé ruathar ar an doras.
like a ~ out of the blue mar speach ón spéir
He sat ~ upright. Sheas sé suas chomh díreach le crann.

bomb

It was a bit of a ~ shell.
Tháinig sé mar a thitfeadh splanc orainn.
The tickets are going like a ~. Bíonn an-tóir ar na ticéid.

bone

She is ~ idle. Tá sí chomh díomhaoin le lúidín an phíobaire.
I've a ~ to pick with you. Tá gréasán le réiteach agam leatsa.
I feel it in my ~s. Mothaím i mo chnámha é.
He was leaving and he made no ~s about it.
Bhí sé ag fágáil agus ní raibh drogall ar bith air é a dhéanamh.
That was a bit near to the ~. Bhí sin ró-ghairid don bhaile.

bonnet

She has a bee in her ~ about something.
Tá rud éigin ag déanamh scime di.

boo

He wouldn't say ~ to a goose.
Tá sé chomh faiteach le coinín.

book

~ worm léitheoir craosach
I'm in his bad ~s. Tá an cat crochta romham aige.
I'm in her good ~s. Tá dáimh aici liom.
Let's play it by the ~. Déanaimis é de réir na rialacha is daingne.
Her life is an open ~. Níl aon rud le ceilt aici.
I can read him like a ~.
D'aithneoinn an smaoineamh is uaigní ina chroí.
Take a leaf out of Úna's ~!
Déan de réir Úna!, Lean sampla Úna!
They threw the ~ at him. Chuir siad chuige é.

boot

He got the ~. Tugadh an bóthar dó.
They put the ~ in. D'fháisc siad air.
And he's an idiot to ~! Agus is pleidhce é lena chois!

17

born

He's a ~ gentleman. Is duine uasal ó dhúchas é.

I've never heard of such a thing in all my ~ days!
Níor chuala mé a leithéid ón lá ar rugadh mé.

I wasn't ~ yesterday! Ní leanbh ó aréir mé!

bosom

~ pal cara cléibh

bottle

to hit the ~ dul ar na cannaí

He hadn't got the ~ to do it.
Ní raibh de sponc aige é a dhéanamh!

The crossroads at Dundrum was a ~ neck for traffic.
Bhí an crosaire i nDún Droma ina ionad trangláilte don trácht.

It's not good to ~ up your anger.
Ní maith an rud é d'fhearg a bhrú isteach.

bottom

For him profitability is the ~ line.
Dósan, is í an bhrabúsacht an phríomhthoisc chinntitheach.

Let's get to the ~ of this! Téimis go bunrúta an scéil seo!

What's at the ~ of all this? Cad tá taobh thiar den rud seo go léir?

I bet my ~ dollar he put her up to it! Chuirfinn mo phingin
dheireanach air gurb eisean a spreag í lena dhéanamh.

Thank you from the ~ of my heart!
Go raibh míle maith agat ó mo chroí amach!

The ~ fell out of her world. Thit an tóin as a saol.

bound

out of ~s thar teorainn

bow

I have more than one string to my ~!
Tá níos mó ná dhá abhras ar mo choigeal agam!

bowl

I was ~ed over by their kindness.
Mharbh siad mé lena gcineáltas.

boy

~s will be ~s! Buachaillí – an mbíonn leigheas orthu?!

brain

> **She has pop music on the ~!**
> Níl smaoineamh ina ceann ach popcheol.
> **She has ~s!** Tá eagna cinn aici!
> **~ drain** imeacht lucht na hintleachta
> **~ washing** athmhúnlú inchinne
> **I had a ~wave!** Tháinig smaoineamh den scoth chugam!
> **I wanted to pick your ~s.**
> Theastaigh uaim úsáid a bhaint as d'intleacht mhór.
> **I racked my ~s trying to find a solution.**
> Thuirsigh mé m'inchinn ag iarraidh teacht ar réiteach.

brass

> **He's as bold as ~.** Tá sé chomh dána le muc.
> **the top ~ of the army** ardoifigigh an airm
> **to get down to ~ tacks** dul go smior an scéil!

brave

> **He put on a ~ face.** Chuir sé dealramh móruchtúil air féin.
> **to ~ the elements** ceart a bhaint ó neart na ndúl

bread

> **to earn your ~** do chuid a shaothrú
> **She knows on which side her ~ is buttered.**
> Is léir di cad é atá lena leas.
> **~ and butter issues** ceisteanna bunúsacha maireachtála
> **on the ~ line** ar an anás

break

> **Give us a ~!** Tóg sos!, Éirigh as ar feadh tamaillín!

breath

> **to catch your ~** d'anáil a fháil
> **You're wasting your ~!** Tá tú ag cur do chuid cainte amú!
> **out of ~** rite as anáil
> **She said it under her ~.** Dúirt sí faoina hanáil é.
> **The sight of Venice took my ~ away.**
> Bhain radharc na Veinéise an anáil díom
> **Don't hold your ~!** Ná coinnigh d'anáil istigh!, Beidh tú i do
> rí i dTír na nÓg sula dtarlóidh a leithéid., Is fada duit a bheith
> ag fanacht leis sin.

breathe

You can ~ easily now! Is féidir do scíth a ligean anois!
It was a breathing space for us.
Ba shos beag é a thug ár n-anáil dúinn.
I can't do the work with him breathing down my neck.
Ní féidir liom an obair a dhéanamh agus eisean go trom i
mo dhiaidh an t-am ar fad.
Don't ~ a word of it! Ná lig thar d'anáil é!
She ~d her last. D'fhág an anáil í.

bridge

Let's cross that ~ when we come to it!
Téimis trasna an droichid sin nuair a thiocfaimid air.
There's a lot of water (has passed) under the ~ since then.
Is fada an lá ó shin i leith.
It was a ~ too far! Ba é céim na tubaiste é.

bright

as ~ as a button chomh geal le cúr sceite
Try to look on the ~ side! Féach ar an taobh geal den scéal!

broad

in ~ daylight i lár an lae ghil

broom

A new ~ sweeps clean. Scuab úr scuabann sí glan.

brush

They're all tarred with the same brush.
Aon chith amháin a d'fhliuch iad go léir.
He ~ed aside her criticism. Rinne sé beag is fiú dá cáineadh.
I'll have to ~ up my French.
Caithfidh mé an mheirg a bhaint de mo chuid Fraincise.

buck

The ~ stops with the Taoiseach.
Is é an Taoiseach é féin atá freagrach as ag deireadh an lae.
to pass the ~ freagracht a chur ó dhuine go duine

bucket

It was coming down in ~s. Bhí sé ag cur ó dhíon is ó dheora.
He has kicked the ~. Tá sé imithe ar an mbóthar fada.

bud

>   **to nip it in the ~** é a mharú san ubh

buff

>   **Isn't she the real computer ~ now!**
>   Nach í an 'Gobán Saor' í leis na ríomhairí anois!

bug

>   **She got the ~ for swimming.**
>   Phrioc an bheach í agus ní bhíonn uaithi anois ach snámh.

bull

>   **It was like having a ~ in a china shop.** Bheadh sé chomh
>   maith agat agus tarbh a chur i dteach itheacháin.
>   **It was like a red rag to a ~.**
>   Bhí sé cosúil le ceirt dhearg roimh tharbh.
>   **to take the ~ by the horns** aghaidh a thabhairt ar an himghoin

bullet

>   **We'll have to bite the ~.**
>   Caithfimid ól na dí seirbhe a thabhairt air.

bully

>   **~ for you!** *(to man)* Togha fir!, *(to woman)* Maith a' cailín!

bum

>   **He's a no-good ~!** Is slúiste gan mhaith é!
>   **They gave me a ~ deal.** Rinne siad cneámhaireacht orm.
>   **to give him a ~ steer** é a chur ar strae d'aonghnó
>   **~ming around** ag fánaíocht thart

butter

>   **You're a real ~ fingers!** Is crúbach ceart thú!
>   **You'd think ~ wouldn't melt in his mouth.**
>   Chreidfeá nach leáfadh an t-im ina bhéal.
>   **to ~ him up** an béal bán a thabhairt dó

butterflies

>   **I have ~ in my stomach before the exams.**
>   Bím ar aon bharr amháin creatha roimh na scrúduithe.

buzzword

>   **Navigation is the new ~ in computers.**
>   Is é nascleanúint an dordfhocal nua i ríomhairí.

by

~ **an large they are the most common species around.**
Tríd is tríd is iad an speiceas is coitinne ar fad atá ann.
~ **the way** dála an scéil
Let ~ gones be ~ gones!
An rud atá thart bíodh sé thart!

C

cahoots
They're in ~ **together.** Bíonn siad lámh as láimh le chéile.
cake
It's a piece of ~! Níl ann ach caitheamh dairteanna!
You can't have your ~ **and eat it!**
Ní féidir é a bheith i do phota agus i do mhála agat.
The books are selling like hot ~s.
Tá fuadach ar na leabhair.
He really takes the ~! Ná iarr ina dhiaidh air siúd!
calm
The sea was ~ as a mill-pond. Bhí an mhuir ina clár.
can
It's in the ~! Déanta!
to be left to carry the ~ bheith fágtha tóin le gaoth
candle
You can't burn the ~ at both ends!
Ní féidir i bhfad airneán agus eadra a choimeád.
He doesn't hold a ~ to you! Níl goir ná gaobhar aige ortsa!
Ní dhéanfadh seisean croí duitse.
canoe
He has to learn to paddle his own ~.
Caithfidh sé foghlaim conas a iomaire féin a threabhadh.
cap
with ~ in hand go humhal ar lorg caoine
to ~ it all mar bharr ar an slacht

I'll have to put my thinking ~ on!
Caithfidh mé machnamh a dhéanamh air.
That's a feather in your ~! Sin cleite i do sciathán!
If the ~ fits, wear it! Má fheileann sé duit – feileadh!

capital
to make ~ out of someone else's misfortune
teacht i dtír ar mhí-ádh dhuine eile

card
I still have a ~ or two up my sleeve.
Tá cleas nó dhó ar eolas agam fós.
If you play your ~s right, you never know, she might go out with you. Má imríonn tú do chluiche go maith cá bhfios duit ach go siúlfadh sí amach leat.
Let me lay my ~s on the table! Lig dom bheith oscailte leat!
It's on the ~s - she won't be staying.
Tá gach dealramh ar an scéal gur duine gan chathaoir í.
I'm afraid the ~s are stacked against you.
Is eagal liom go bhfuil an bhreis i d'aghaidh.

carpet
the red ~ an cairpéad dearg
to sweep it under the ~ é a chur as radharc na súl

carrot
~ and stick approach cur chuige idir chairéad agus bhata

carry
~ on! Ar aghaidh leat!
It was a difficult thing but he carried it off.
Ba dheacair an rud é ach d'éirigh léis é a dhéanamh.
His word carries weight with the headmaster.
Bíonn údarás lena fhocal i gcluas an ardmháistir.
She got carried away. Rinne sí dearmad uirthi féin.
I was being carried away by the music.
Bhí mé ag imeacht as mo chraiceann leis an gceol

cart
You are putting the ~ before the horse.
Tá an taobh contráilte den scéal agat.

carte
She was given ~ blanche to do as she wished.
Tugadh cead a cinn di a rogha rud a dhéanamh.

case

    in any ~ ar aon chaoi

    just in ~ ar eagla na heagla

    This is not the ~. Ní hamhlaidh atá.

    in the ~ in question sa chás atá i gceist.

cash

    ~ in hand airgead ar láimh

    to ~ in on it teacht i dtír air

cast

    to ~ pearls before swine

    An rud atá fiúntach a thabhairt don suarachán

    The die is ~! Tá an crann curtha.

castle

    ~s in the air caisleáin óir

    An Englishman's home is his ~.

    Rí gach duine ar a chuid féin.

cat

    He thinks he's the ~'s pyjamas. Ceapann sé an dúrud de féin.

    Look what the ~'s dragged in!

    Féach cad a tháinig isteach ar dhroim na gaoithe!

    There isn't room to swing a ~.

    Níl slí dhá chat chun rince ann.

    It was raining ~s and dogs.

    Bhí sé ag caitheamh sceana gréasaí.

    Who let the ~ out of the bag?

    Cé a lig an rún amach?, Cé a sceith an scéal?

    When the cat's away the mice will play.

    Fad is a bhíonn an cat amuigh bíonn na lucha ag rince.

    to put the ~ among the pigeons achrann a fhadú

    They fight like ~s and dogs.

    Tugann siad íde na gcat agus na madraí dá cheile.

catch

    You'll ~ your death of cold! Gheobhaidh tú galar do bháis!

    She was caught red-handed. Rugadh maol uirthi.

    You won't ~ me doing that again.

    Beag an baol orm é sin a dhéanamh arís!

    I didn't ~ what you said.

    Níor chuala mé i gceart thú.

Catch 22

    a ~ situation suíomh gan éalú uaidh

cause

    He's a lost ~. Is cás caillte é.

ceremony

    to stand on ~ an ghalántacht a imirt

chalk

    They are as different as ~ and cheese.
    Tá siad chomh difriúil le talamh agus spéir.

    Not by a long ~! Is fada buí uaidh é!

chance

    I'll ~ my arm. Rachaidh mé i ngeall air.

    Fine/ Fat ~ of that happening!
    Beidh mé i mo rí Chúige Chonnacht sula dtarlóidh sín.

    Ask her again to marry me? – No ~!
    Ceiliúr pósta a chur uirthi arís? – Baol ormsa!

    on the off-chance i muinín an chaolseans

change

    ~ for the better iompú chun bisigh

    She had a ~ of heart. Tháinig athrú intinne uirthi.

    the ~ of life *(menopause)* an t-athrú saoil *(an sos míostraithe)*

    You can't keep chopping and changing all the time!
    Ní féidir bheith ag imeacht ó seo go siúd an t-am ar fad!

    He ~d his tune. D'athraigh seisean a phort.

chapter

    I know it ~ and verse. Tá údarás beacht agam air.

charity

    ~ begins at home.
    Dá ghiorracht do dhuine a chóta is giorra dó a léine.

cheap

    Words are ~. Téann focal le gaoth.

chest

    I got it off my ~. Chuir mé díom é.

chestnut

    (joke) **Not that old ~!** Sin scéal le féasóg (fhada/liath) anois!

chew

    She bit off more than she could ~.
    Ba mhó a huaillmhian ná a cumas.

chicken

It's a ~ an egg situation. Is ceist é cad 'tá ar dtús sicín nó ubh.

He's ~! Níl ann ach croí circe!

He ~ed out in the end. Thaispeáin sé a chré bhuí sa deireadh.

Don't count your ~s before they're hatched!
Ní breac é go mbeidh sé ar an bport!

That's only ~ -feed! Níl ansin ach airgead póca!

She's no Spring ~. Tá na géaráin curtha go maith aici siúd.

child

It's ~'s play. Is caitheamh dairteanna é.

chin

Keep your ~ up! Ná claon do cheann!

chink

I think you'll agree there's a ~ in your armour.
Ceapaim go n-aontóidh tú liom go bhfuil éasc le fáil ionatsa.
(see also: armour)

chip

He's a ~ off the old block. Is slis den seanmhaide é.

She has a ~ on her shoulder. Tá nimh san fheoil aici.

When the ~s are down he's a loyal friend.
In uair na hanachana is dílis an cara é.

choose

There's not much to ~ between them. Níl mórán eatarthu.

chop

He got the ~. Tugadh an bóthar dó.

circle

in your family ~ i measc do mhuintire féin

in theatrical ~ i measc lucht na hamharclainne

in certain ~s i ndreamanna áirithe

It's a vicious ~. Is ciorcal lochtach é.

It came the full ~. An rud chuaigh timpeall tháinig sé timpeall.

clanger

She dropped a ~. Rinne sí meancóg mhór.

clap

from the first moment I ~ped eyes on him,
ón chéad uair a leag mé súil air,

I've never heard such a load of ~ trap!
A leithéid de ghaotaireacht níor chuala me riamh!

clappers

> **She ran off like the ~.** Rith sí as go maolchluasach.

clean

> **as ~ as a whistle** chomh glan le criostal
>
> **At first he refused to say anything but eventually he came ~.** Ar dtús dhiúltaigh sé aon rud a rá ach sa deireadh d'admhaigh sé an t-iomlán.
>
> **Keep your nose ~ and you'll get ahead.** Ná cuir smál ar do chóipleabhar agus cuirfear chun cinn thú.
>
> **She was given a ~ bill of health.** Tugadh teastas glan sláintíochta di.

clear

> **as ~ as mud** chomh doiléir le ceo tiubh (istoíche)
>
> **~ off!** Tóg ort!
>
> **I wanted to ~ my name.** Theastaigh uaim mo chlú a fháil ar ais.
>
> **It will ~ the air.** Scaipfidh sé ceo an amhrais.
>
> **I was in the ~.** Bhí mise ó locht.

climb

> **It was a bit of a ~ down for him.** Níor bheag é an chéim síos a bhí le déanamh aige.

clip

> **He had his wings ~ped.** Bearradh na sciathán air.

cloak

> **They were up to all sorts of ~ and dagger stuff.** Bhí cad é uisce faoi thalamh ar siúl acu.
>
> **under the cloak of darkness** faoi choim na hoíche

clock

> **round the ~** lá is oíche
>
> **against the ~** in aghaidh an chloig
>
> **You can't put the ~ back.** Ní féidir dul ar ais go dtí an aimsir sin.

clockwork

> **Everything is going like ~.** Tá gach rud ag dul ar aghaidh bonn ar aon.

close

> **~ at hand** in aice láimhe
>
> **It was a ~ call.** Chuaigh sé go dtí an dóbair.

closed

    (trade unions) ~ **shop** fostaíocht faoi ghad

    ~ **road** bealach stoptha

    behind ~ doors taobh thiar de dhoirse dúnta, go príobháideach

    She ~ her eyes to the truth.

    Ní theastaigh uaithi an fhírinne a fheiceáil.

cloth

    You've got to cut according to your ~.

    Ná leath do bhrat thar a chumhdach.

cloud

    You're living up there in ~ cuckoo land!

    Níl tú (i do chónaí) ar an bpláinéad seo (ar chor ar bith)!

    Every ~ has a silver lining. Ní bhíonn néal gan gealán.,

    Níor dhún Dia doras amháin riamh gan ceann eile a oscailt.

    She has her head in the ~s. Tá sí faoi chiméara.

    He's under a ~. Tá mírath air.

    She's on ~ nine! Tá sceitimíní uirthi.

clover

    She lives her life in ~. Tá saol na bhfuíoll aici.

club

    (pregnant) **She's in the ~.** Tá sí sa chlub/ ag teacht abhaile.

    Join the ~! Tá mo ghalar féin ortsa!

clue

    I haven't a ~. Níl cliú dá laghad agam.

clutching

    ~ **at straws** ag baint taca as sifín

    It's ~ at straws. Is greim an duine bháite é.

coals

    carrying ~ to Newcastle ag tabhairt liúdar go Toraigh

coat

    He's a turn ~. Thréig sé a mhuintir féin.

cock

    That's a ~—and-bull story Sin scéal an ghamhna bhuí!

cockles

    It warms the ~ of my heart. Cuireann sé ola ar mo chroí.

coffee

    Wake up and smell the ~!

    Dúisigh tú féin – tá an saol mór ar siúl lasmuigh!

cold

> That's ~ **comfort now.** Is suarach an sólás é sin anois.
>
> **I got ~ feet.** Chaill mé mo mhisneach.
>
> **to give him the ~ shoulder** an tsúil a dhúnadh air
>
> **She was left out in the ~.** Tugadh cúl láimhe di.
>
> **He always throws ~ water on anything she says.**
> Déanann sé i gcónaí beag is fiú d'aon rud a deir sise.

colour

> **That's a horse of a different ~.**
> Cuireann sin dreach eile ar an scéal.
>
> **He nailed his ~s to the mast on this issue.** Ní raibh
> aon amhras cén taobh ar a raibh sé an uair seo.
>
> **She passed the Leaving Cert. with flying ~s.**
> D'éirigh léi sa scrúdú le hardonóracha.
>
> **He showed his true ~s.**
> Thaispeáin sé conas mar a bhí sé i ndáiríre.

column

> **agony ~** colún crá croí

come

> **I came a cropper.** Baineadh leagan asam.
>
> **Easy ~, easy go!** An rud a fhaightear go bog, imíonn sé go bog.
>
> **now I ~ to think of it,** anois ó chuimhním air,
>
> **I came to like him.** Thaitin sé liom de réir a chéile.
>
> **to ~ back to what I was saying,** mar a bhí mé a rá,

common

> **He's as ~ as muck.** Tá sé chomh mímhúinte le muc.
>
> **It's just a ~–or-garden stew.**
> Níl ann ach stobhach coitinn laethúil.

company

> **present ~ excepted** gan a bhfuil láithreach a chomhaireamh
>
> **to keep good ~** comhluadar maith a thaithí
>
> **She's great ~!** Is breá an chuideachta í!

compare

> **It's beyond ~.** Níl a shárú ann.

compliment

> **Please accept my ~s!** Beir beannachtaí uaim!
>
> **My ~s to the chef!** Beatha agus sláinte uaim chuig an chócaire!
>
> **~s of the season!** Beannachtaí na féile!

con

>the pros and ~s of the argument
>pointí ar son agus in aghaidh na hargóinte
>He's a ~ artist. Is caimiléir é.
>I was ~ned. Buaileadh bob orm.

confidence

>~ trick cleas caiméiléireachta, feall ar iontaoibh
>in strictest ~ faoi bhrí na mionn
>to ask for a vote of ~ tairiscint mhuiníne a iarraidh

conscience

>In all ~ I couldn't agree to that.
>An fhírinne choíche, ní fhéadfainn aontú leis sin.
>My ~ wouldn't let me do such a thing.
>Bheadh scrupall orm a leithéid a dhéanamh.

contention

>bone of ~ cnámh spairne

contradiction

>That is a ~ in terms. Is comhbhréagnú focal é sin.
>I'm open to ~. Má táim mícheart, abradh éinne liom é!

contrary

>unless you hear to the ~ mura gcloisfidh tú a mhalairt
>Quite the ~ is true! A mhalairt ar fad is fíor!
>~ to expectation murab ionann agus a bhí súil leis

converted

>You're preaching to the ~.
>Ní gá duit rud ar bith a áitiú ormsa.

cook

>You've ~ed your goose! Tá do phort seinnte.
>to ~ the books cúbláil a dhéanamh ar na cuntais

cookie

>That's the way the ~ crumbles.
>Sin mar a thiteann na díslí.

cool

>He's as ~ as a cucumber. Ní fhéadfaí corraí a bhaint as.
>Isn't she a ~ customer! Nach í atá go réchúiseach!
>That's ~! Tá sin go snasta!
>Keep ~! Tóg go bog é!
>She kept ~ an collected. Choinnigh sí guaim uirthi féin.

corners
>   **Don't be cutting ~!** Ná bí ag gearradh na bpóiríní!

cost
>   **at all ~s** ar ais nó ar éigean
>   **It ~ him his life.** Dhíol sé as lena anam.
>   **He learnt it to his ~.** Fuair sé amach ar an drochuair é.

counsel
>   **I kept my ~.** Choinnigh mé mo thuairim dom féin.

count
>   **~ me out!** Fág mise as!
>   **I'm ~ing on you!** Táim ag brath ort.

counter
>   **under the ~** faoin chuntar

courage
>   **Dutch ~** misneach óil
>   **She had the ~ of her convictions.**
>   Bhí sé de mhisneach aici cur lena focal.
>   **I tried to pluck up the ~ to ask the question.** Bhíos ag iarraidh
>   an mhisneach a mhúscailt chun an cheist a chur.

course
>   **to stay the ~** fanacht go dtí an deireadh

court
>   **She has a friend in ~.** Tá cara sa chúirt aici., Tá lapa aici.
>   **If I said that I'd be laughed out of ~.**
>   Dá ndéarfainn a leithéid dhéanfaidís geoin díom.

Coventry
>   **to send a person to ~** an tsúil a dhúnadh ar dhuine ar fad

cover
>   **to break ~** éirí as an leaba dhearg
>   **under the ~ of darkness** faoi choim na hoíche
>   **working under ~ for them** ag obair faoi cheilt dóibh

cow
>   **She's a silly ~!** Is bó bhómánta í!
>   **We could sit here till the ~s come home.**
>   D'fhéadfaimis bheith inár suí anseo go malairt saoil.

crack
>   **at the ~ of dawn** le breacadh an lae
>   **Let me have a ~ at it!** Lig dom féachaint leis!

The Gardaí are ~ing down on drink-drivers. Bíonn na Gardaí ag éirí dian ar thiománaithe a bhíonn ar meisce.
Everyone should have a fair ~ of the whip.
Ba chóir go bhfaigheadh gach aon duine a dheis féin.
Let's get ~ing! Cuirimis tús leis!
Bríd isn't all she's ~ed up to be.
Ní cathair mar a tuairisc í Bríd.

cramp

You're ~ing my style, man!
Tá tú ag déanamh ciotaí dom, a mhic-ó!

credit

~ where ~ is due! Moladh don té a thuill é!
I gave you ~ for more sense than that!
Cheap mé níos mó céille a bheith agat ná sin.
It's to his ~ that he immediately stood down.
Is mór an clú dó gur sheas sé síos láithreach.

creek

We're up the ~ now. Táimid san fhaopach anois!

creeps

That guy gives me the ~.
Cuireann an leaid sin creathnú ionamsa.

cricket

That's not ~! Ní hé sin cothrom na Féinne!

crocodile

~ tears deora bréige

cross

We're speaking at ~ purposes. Táimid ag teacht trasna ar a chéile., Tá míthuiscint bhunúsach eadrainn.
Let's keep our fingers ~ed! Bímis ag guí leis!
~ my heart – I knew nothing!
Tugaim an leabhar – ní raibh a fhios agam!
I used to ~ swords with her in politics.
Théinn chun spairne léi sa pholaitíocht.
to ~ the t's and dot the i's aire a thabhairt do na mionsonraí
If he ever ~es my path again I'll tell him.
Má chastar sinn ar a chéile arís, inseoidh mé dó.
to ~ the Rubicon léim Dhroichead na nAlt a chaitheamh
It never ~ed my mind. Níor smaoinigh mé air fiú.

crow
>**as the ~ flies** díreach trasna na tíre

crunch
>**when it comes to the ~**
>
>nuair a théann an scéal go bun an angair

crush
>**She has a ~ on her teacher.**
>
>Tá sí splanctha i ndiaidh a múinteora.

cry
>**For ~ing out loud!** Ar son Dé!
>
>**The garden is just ~ing out for rain.**
>
>Tá an gairdín in umar na haimléise de cheal báistí.
>
>**It's a ~ing shame!** Is deargnáire é!
>
>**There's no good ~ing over spilt milk!**
>
>Níl maith sa seanchas nuair a bhíos an anachain déanta!
>
>**It's a far ~ from what I'm used to.**
>
>Tá sé i bhfad ó aon rud a bhfuil taithí agamsa air.
>
>**He was there when she needed a shoulder to ~ on.**
>
>Bhí seisean ann nuair bhí páirtí cumainn de dhíth uirthi.

crystal
>**as clear as ~** chomh soiléir le criostal,
>
>chomh soiléir leis an lá geal
>
>**Have I made myself ~ clear?!**
>
>An bhfuil aon amhras faoina bhfuil ráite agam?!
>
>**~ ball** liathróid chriostail
>
>**I don't go in for this ~ ball-gazing.**
>
>Ní bheadh muinín dá laghad agamsa as fáidhithe criostail.

cuckoo
>**~ land** Tír na nÓg
>>*(see also: cloud)*

cucumber
>**She's as cool as a ~.**
>
>Ní fhéadfaí corraí a bhaint aisti.

cuff
>**to speak off the ~**
>
>labhairt gan réamhullmhú ar bith
>
>**off the ~ answer**
>
>freagra a thagann uaidh féin/ dá dheoin féin

cup

  storm in a tea-~ cogadh na sifíní

  There's many a slip twixt the ~ and the lip.
  Ní breac é go mbeidh sé ar an bport!

cupboard

  ~ love grá na hailpe

  skeleton in the ~ oil in úir

  **He has skeletons in his ~ that could ruin his political
  ambitions.** Tá oil in úir aige a d'fhéadfadh deireadh a chur
  lena uaillmhianta/ aidhmeanna polaitiúla.

curiosity

  ~ killed the cat – information made him fat! Fiosracht na
  luiche a faoi deara a lot – ón eolas a fuair sé saor ón cat!

curry

  to be ~ing favour with the teachers
  bheith ag pláibistéireacht leis na múinteoirí

curtain

  It's ~s for him! Tá a chosa nite!

  ~ -raiser gearrdhráma tosaithe

  (historical) **The Iron ~** An Cuirtín Iarainn

cut

  ~ above the rest céim os cionn a bhfuil ann

  to ~ a long story short
  agus chun scéal gearr a dhéanamh de scéal mór fada

  ~ an dried arguments argóintí bodhra

  That ~s both ways. Bíonn dhá fhaobhar an ar gclaíomh sin.

  the ~ and trust of politics coimhlint shíoraí na polaitíochta

  She ~ me dead. Dhún sí an tsúil orm., Shéan sí mé.

  That ~ him down to size. Thug sin béim síos dó.

  That ~s no ice with me. Ní dhéanann sin aon imprisean ormsa.

  Let's ~ to the chase!
  Téimis díreach go dtí an chuid suime den scéal!

  Her remarks ~ me to the quick.
  Chuaigh a chuid cainte go beo ionamsa.

  You're just ~ting your nose off to spite your face.
  Tú féin amháin a bheidh thíos dá ndéanfá é a leithéid.

  She wasn't ~ out for the army.
  Ní raibh mianach saighdiúra inti.

D

dab
> She's a ~ hand at painting. Is scoth péintéara í.

dabble
> He ~s at photography.
> Bíonn ladar aige sa ghrianghrafadóireacht.

dagger
> They are at ~s drawn all the time.
> Bíonn an chloch sa mhuinchille acu dá chéile an t-am ar fad.
> She was looking ~s at me.
> Bhí bior nimhe ar a súile ag féachaint orm.

daisy
> as fresh as a ~ chomh húr le haer na maidine
> He's pushing up the daisies.
> Tá sé ag tabhairt an fhéir.

damage
> What's the damage?
> Cad é an damáiste?, Cé mhéad san iomlán?

damn
> It's of ~ all use! Ní fiú focal mallachta é!
> He's a ~ liar! Is bréagadóir mallaithe é!
> I'm ~ed if I know! Dheamhan a bhfuil a fhios agam!
> ~ the lot of you! Drochchré oraibh go léir!
> I did my ~edest! Rinne mé mo sheacht ndícheall!

damp
> The party was a ~ squib.
> Bhí an cóisir ina dólás caillte.

dance
> She ~s attendance on him all the time.
> Bíonn sí ag bogadh na bláthaí dó an t-am ar fad.

dander
> They went for a wee ~ up to the park.
> Rinne siad spaisteoireacht bheag suas chun na páirce.

dark

He's a ~ horse that one! Is dorcha an capall é siúd!

She kept me in the ~ about it.

Níor thug sí aon eolas dom faoi.

I'm totally in the ~. Táim aineolach ar fad ar an scéal.

Get out of my sight and never ~en my door again!

Imigh as mo radharc agus ná dall mo dhoras go brách arís!

a shot in the ~ urchar bodaigh i bpoll móna

date

out of ~ as dáta

to keep me up to ~ mé a choimeád suas chun dáta

To ~ I have heard nothing. Go dtí seo níor chuala mé faic.

to go out on a ~ siúl amach le buachaill/ le cailín

dawn

It eventually ~ed on me that they weren't coming.

Rith sé chugam sa deireadh nach mbeidís ag teacht.

day

It's all in a ~'s work! Is cuid den obair laethúil dom é!

at the end of the ~ sa deireadh thiar thall,

i ndeireadh an lae

We carried the ~. Bhí an lá linn.

It was ~light robbery.

Gadaíocht i lár an lae ghil a bhí ann!

His ~s are numbered. Is gearr uaidh.,

Tá sé ar a leabhar ag an bhfiach dubh.

to live from ~ to ~ maireachtáil ó lá go lá

You lost your coat, your wallet, your hat – it isn't your ~!

Chaill tú do chóta. do vallait, do hata – ní hé do lá fómhair é inniu!

Having her out of the picture really made my ~!

Agus ise as an scéal nach agamsa a bhí lá na bhfuíoll!

It was just one of those ~s!

Bíonn laethanta mar iad ag cách is dócha!

You saved the day by giving us a lift! Murach tusa agus an síob a thug tú dúinn, bheadh an lá caillte ar fad againn!

That will be the ~! Is fada atá a bheimid ag fanacht leis sin!

~ in ~ out Domhnach is dálach

The ~ is still young! Tá cnag fós sa lá!

as honest as the ~ is long chomh hionraic leis an ngrian

Tomorrow's another ~!
Beidh lá eile ag an bPaorach

to put money away for a rainy ~
airgead a chur ar leataobh le haghaidh na coise tinne

It's a bit late in the ~ to change your mind.
Tá sé beagáinín beag amach sa lá chun teacht ar mhalairt intinne.

dead

as ~ as a dodo chomh marbh le hArt/ le hAnraí a hocht.

She's a ~ loss. Is caillteanas glan í.

You're ~ lucky! Tá ádh an diabhail ort!

Are you ~ sure? An bhfuil tú lánchinnte?

He was ~ drunk. Bhí sé ar stealladh meisce.

I'm ~ against it. Táim glan ina aghaidh.

~ -end job jab gan todhchaí, jab gan aon dul chun cinn ann

I'm ~ set on doing it. Táim leagtha amach ar é a dhéanamh.

You're flogging a ~ horse. Tá tú ag marú madra marbh.

That will only happen over my ~ body! Go raibh mo chnámha ag an diabhal sula dtarlóidh a leithéid!

You're a ~ ringer for prince Harry.
Is macasamhail an phrionsa Harry ina steillbheatha thú!

I wouldn't be seen ~ in that dress. Ní chuirfinn an gúna sin orm chun m'anam a shábháil!

He's a ~ -and- alive sort. Is é an bás ina sheasamh é.

deaf

Her advice fell on ~ ears.
Tugadh an chluas bhodhar dá comhairle.

She's as ~ as doorpost. Tá sí chomh bodhar le slis.

I'm somewhat ~. Tá allaire orm.

dear

He ran for ~ life. Rith sé lena anam.

You will pay ~ly for what you said!
Íocfaidh tú go daor as a bhfuil ráite agat!

My ~ fellow/ woman! A dhuine chóir!

death

He's at ~'s door. Tá sé ag comhrá leis an mbás.

You'll catch your ~! Gheobhaidh tú galar do bháis!

That car is a ~-trap! Is gaiste báis an carr sin!

I'm sick to ~ of it. Táim bréan dóite de.

deep

I was thrown in at the ~ end. Caitheadh isteach (sa ghnó) mé gan tacaíocht ar bith agus bhí ormsa snámh nó dul faoi.

She went off the ~ end. Chuaigh sí le báiní.

If you're not careful you find yourself in very ~ water. Mura mbíonn tú go haireach beidh tú gafa i bhfarraigí suaite.

Still waters run ~. Is ciúin iad na linnte lána.

degree

He gave me the third ~. Chroscheistigh sé mé faoi mar nach mbeadh ionamsa ach coirpeach cruthanta.

to the nth ~ go dtí an n-ú céim, go dtí pointe éaguimsithe

delicate

~ situation suíomh tinneallach

~ health meathshláinte

departed

(the dead) the ~ na mairbh

depth

You're completely out of your ~. Tá tú thar do bhaint ar fad.

deserts

She got her just ~. Fuair sí a raibh ag dul di (go dóite).

designs

She had ~s on getting my boyfriend. Bhí sé de rún aici mo bhuachaill a mhealladh chuici féin.

desired

This new format leaves a lot to be ~. Níl an fhormáid nua seo thar moladh beirte.

devil

to be between the ~ and the deep blue sea bheith idir dhá thine Bhealtaine

Talk of the ~ and he's sure to appear! Tig gach aon rud lena iomrá *(ach an madra rua is an marbhánach).*

What the ~ do you want?! Cad sa diabhal atá uait?!

There will be the ~ to pay! Beidh an diabhal is a mháthair le díol!

Do you think he's sorry? – ~ the bit! ' Measann tú go bhfuil brón air? – diabhal é!

How the ~ did you know? Conas sa diabhal a raibh a fhios agatsa?

diamond
>He's a rough ~. Is garbhánach é.
>
>~s are forever. Maireann na diamaint go deo.

dice
>loaded ~ díslí calaoiseach
>
>The ~ are loaded against her. Tá an corrlach ina haghaidh.

die
>The ~ is cast. Tá na díslí caite.

difference
>Let's split the ~! Scoiltimis é!
>
>There's not much ~ between them. Is beag eatarthu.
>
>That makes all the ~! Cuireann sin cruth eile ar fad ar an scéal.

different
>That's quite a ~ matter! Scéal eile ar fad é sin!
>
>at ~ times ar ócáidí éagsúla

dig
>(at a meal) ~ in! Déan do ghoile!
>
>He dug his heels in. Chuir sé a shála i dtaca.

dignity
>It was beneath her ~ to ask for assistance.
>Ní ísleodh sí í féin le cúnamh a iarraidh.

dilemma
>I was on the horns of a ~. Bhí mé in adharc gabhair.,
>Bhí mé idir dhá thine Bhealtaine.

dim
>She took a very ~ view of him and his antics. Bhí muc ar
>gach mala aici chuigesean agus a chuid amaidí.

dip
>lucky ~ mála an éithigh
>
>Would you like to go for a ~?
>Ar mhaith leat fliuchadh a thabhairt duit féin?
>
>I love to ~ into Ó Dónaill's dictionary from time
>to time. Is breá liom corrghiota a léamh ó am go chéile
>as foclóir Uí Dhónaill.

dirt
>I got it ~ cheap. Fuair mé ar 'ardaigh orm' é.
>
>They are trying to dig up the ~ on him.
>Tá siad ag iarraidh a chlú a mhilleadh.

dirty

> They did the ~ on him. D'imir siad cleas gránna air.
> She did all the ~ work for the manager.
> Rinne sise an obair ghránna go léir thar ceann an bhainisteora.
> You shouldn't wash your ~ linen in public!
> Ní chóir duit do náire a ligean leis na comharsana!

disadvantage

> You have me at a ~. Tá buntáiste agat ormsa.

discretion

> ~ is the better part of valour!
> Is fearr rith maith ná drochsheasamh!

dislike

> We took an instant ~ to one another.
> Chuireamar aithne na mbó maol ar a chéile

distance

> I don't know if he'll go the ~.
> Níl a fhios agam an bhfuil an bhuanseasmhacht ann.
> After she was so rude, I kept my ~. Tar éis di bheith chomh
> drochbhéasach sin, d'fhan mé amach uaithi.

ditchwater

> as clear as ~ chomh doiléir le ceo tiubh

do

> I could ~ with a short break. Ní bheinn in aghaidh sosa bhig.
> That will ~. Is leor sin.
> That'll ~ it. Déanfaidh sin an gnó.
> *(killed)* They did him in. Chuir siad cos i bpoll leis.
> *(killed)* They did away with him. Chuir siad é dá chois.
> I'll make ~ somehow. Tiocfaidh mé leis ar bhealach éigin.
> It's a case of ~ or die. Is cás de bhás nó bheatha é!
> This photograph doesn't ~ her justice.
> Ní nochtann an grianghraf seo an fhíoráilleacht atá inti.
> You did us proud, son! Tá tú i do chúis mhórtais dúinn, a mhic!
> He did time in Mountjoy. Chaith sé tamall faoi ghlas i Muinseó.
> They did up the house. Rinne siad an teach a athchóiriú.
> That took some ~ing. Ní gan dua a rinneadh é sin.

doctor

> That's just what the ~ ordered.
> Sin go díreach rud a bhí ag teastáil.

dog

He's the top ~ 'round here. Is eisean an máistir thart anseo.

It's a ~'s life being a general practitioner.

Is céasta an saol a bhíonn ag duine mar ghnáthdhochtúir.

She's gone to the ~s altogether.

Tá sí imithe chun an donais ar fad.

Every ~ has its day. Bhí lá ag an asal féin (nuair a cuireadh craobhacha pailme faoina chosa).

They treated me as their general ~'s body. Chaith siad liom faoi mar a bheinn i mo sclábhaí paróiste dóibh.

Don't be such a ~ in the manger!

Ná bí i do tharbh bán Mhuisire!

You lucky ~! Nach agatsa atá ádh an diabhail!

He'll be in the ~ house tonight!

(literal translation) Beidh sé i gcró na madraí anocht!

dollar

Another day – another ~! Muise, ní chrúnn na ba iad féin!

I bet my bottom ~ he'll be late again. Chuirfinn mo phingin dheiridh air go mbeidh sé déanach arís!

done

We're ~ for if he ever gets wind of it. Tá ár gcnaipe déanta má fhaigheann sé choíche aon chogar faoin scéal.

Are you ~ with the magazine?

An bhfuil tú réidh leis an irisleabhar?

donkey

She'd talk the hind legs off a ~. Tá sí ina claibín muilinn.

I haven't seen her for ~'s years. Ní fhaca mé le haois gadhair í.

~ work sclábhaíocht, obair dhubh

door

He has a foot in the ~ now. Tá cos sa doras aige anois.

At least it keeps the wolf from the ~.

Coinníonn sé an gorta uainn ar a laghad.

out ~s amuigh faoi spéir

I showed him the ~. Thaispeáin mé an bealach amach dó.

dose

He got a ~ of his own medicine.

Tugadh tomhas a láimhe féin dó.

It was a nasty ~ you got. Ba nimhneach an babhta duit é!

dot

    from the year ~ ó thús aimsire

    She arrived on the ~. Tháinig sí ar an bpointe.

double

    He was talking ~ Dutch. Bhí gibiris éigin á labhairt aige.

    in ~ quick time ar luas reatha

    She led a ~ life. Thug sí dhá shaol léi in éineacht.

doubting

    ~ Thomas Tomás an Amhrais

down

    (person) ~ -and-out gioblachán

    He was ~ on his luck Bhí sé ar an thrá fholamh.

    She's ~ in the dumps. Tá lagar spride uirthi.

    That's a hundred thousand euro ~ the drain!

    Sin céad míle euro imithe le gaoth!

    It was all ~ hill after that!

    Chuaigh gach rud chun meatha ina dhiaidh sin.

    ~ -to-earth explanation míniúchán céillí tomhaiste

    He's a very ~ -to-earth person.

    Is duine gan aon chur i gcéill é.

    They played ~ the significance of all the changes.

    Rinne siad neamhní de na hathruithe go léir.

dozen

    baker's ~ dosaen fada

    He talks nineteen to the ~. Bíonn sé ag giolcaireacht gan stad.

drain

    money down the ~ airgead imithe le gaoth

draw

    Back to the ~ing board! Tosaímis ag an tosach arís!

    We drew a blank. Bhí sé fuar againn., Fágadh breall orainne.

    The investigation was long and ~n out.

    Chuaigh an fiosrúchán chun fadála.

    I ~ the line at telling lies.

    Ní rachainn chomh fada le bréaga a insint.

dream

    Everything went like a ~. Chuaigh gach rud ar nós aislinge.

    ~ on! Níl cosc ar chaisleáin óir a thógáil!

    Isn't he a ~! Nach iontach an chuid mná é!

dress

> She was ~ed to kill. Bhí éadaí uirthi a bhainfeadh
> an t-amharc as an tsúil agat.
>
> ~ it up any way you want – it's still a lie.
> Is cuma cén cruth a chuireann tú air – is bréag fós é.
>
> She gave him a ~ing down. Thug sí íde béil dó.

dribs

> They came in ~ and drabs to the meeting.
> Tháinig siad go drae droinge (drogallaí) chun an chruinnithe.

drift

> Do you catch my ~?
> 'Bhfuilimid ag treabhadh an ghoirt chéanna?

drink

> They drank to my health. D'ól siad mo shláinte.
>
> She ~s like a fish. D'ólfadh sí Loch Éirne.
>
> She would ~ anyone under the table.
> D'ólfadh sí an chros den asal.
>
> ~ driver tiománaí ólta

drip

> He's a real ~. Is sramaide ceart é.

drive

> What are you driving at? Cad chuige a bhfuil tú?
>
> The teacher drove home to us the importance
> of language. Chuir an múinteoir ina luí orainn
> an tábhacht atá le teanga.
>
> The children are driving me up the wall.
> Tá páistí ag ardú na hintinne orm.
>
> She was ~n to it. Tugadh uirthi é a dhéanamh.

drop

> I can't just do it at the ~ of a hat!
> Ní féidir liom é a dhéanamh mar sin ar an bpointe lom!
>
> Do ~ in to see us any time! Buail isteach chugainn am ar bith!
>
> I was so tired I simply ~ped off. Bhí mé chomh tuirseach sin
> gur shleamhnaigh an codladh orm gan choinne.
>
> Suddenly the penny ~ped that she wasn't coming back.
> Go tobann tháinig sé abhaile nach mbeadh sí ag teacht
> ar ais choíche.
>
> ~ it, will you! Cuir uait é mura miste leat!

drown

He tried to ~ his sorrows. Chuaigh sé i muinín an óil ag iarraidh an bhuairt a chur as a cheann.

drunk

He was as ~ as a lord. Bhí sé ar stealladh na ngrást.

He was legless ~. Bhí sé gan cos le cur faoi.

He was blind ~. Bhí sé dallta ag an ól.

~ and disorderly ar meisce agus go mí-iomprach

She became ~ with success. Chuir an rathúnas a rinne sí mearbhall ina ceann., Chuaigh a rath saolta go dtí a ceann.

dry

as ~ as a bone chomh tirim le púdar

~ run triail chleachtaidh

We were left high and ~. Fágadh sinn ar an trá thirim.

He's a ~ stick. Is duine tur é.

Would you ever ~ up! An bhféadfá do ghob a dhúnadh!

duck

I was left there like a sitting ~.

Agus fágadh mise ansin tóin le gaoth.

like water off a ~'s back amhail an ghrian ag dul deiseal

He's a bit of a lame ~. Tá iarracht den chapall bacach ann.

dump

This place is a right ~. Is ballóg cheart an áit seo.

to be in the ~s bheith faoi chian

dust

ashes to ashes, ~ to ~ ó luaith go luaith, ó chré go cré

He bit the ~. Rinneadh leasú féir de., Rinneadh spéice de.

Dutch

~ courage misneach óil

We decided to go ~.

Shocraíomar go n-íocfadh gach duine as féin.

dye

He's a ~d -in-the-wool protestant.

Is Protastúnach go smior na gcnámh é.

dying

until my ~ day go dté adhmad orm

E

eagar

She's an ~ beaver. Is díograiseoir díocasach í.

ear

I'm all ~s. Tá éisteacht mo dhá chluas agat/agaibh!

I'm up to my ~s in work. Tá seacht sraith ar an iomaire agam.

What's wrong with your ~s? Cá raibh tú aimsir na gcluas?

Keep an ~ to the ground! Coinnigh cluas le héisteacht ort féin!

She gave me an ~ful. Tá mo chluasa bodhar aici.

I heard it with my own ~s! Mo dhá chluas a chuala é!

Walls have ~s. Bíonn cluasa ar na claíocha.

She has an ~ for music. Tá cluas don cheol aici.

He has the principal's ~. Tá sé isteach leis an bpríomhoide.

He was sent away with a flea in his ~.

Cuireadh chun bealaigh é go maolchluasach.

She plays by ~. Seinneann sí de réir na cluaise.

He's still wet behind the years. Is stócach gan taithí shaolta fós é.

She turned a deaf ~ to their suffering.

Thug sí an chluas bhodhar dá bhfulaingt.

You can't make a silk purse out of a sow's ~.

Is deacair olann a bhaint de ghabhar.

A word in you ~! Cogar i gcluas duit!

early

She's an ~ bird! Is mochánach í.

The ~ bird catches the worm! Déanann moch margadh!

It's ~ days yet! Is moch ar maidin fós é!

in the ~ hours i dtrátha beaga na maidine

earth

Where on ~ have you been?! Cá háit faoin spéir a raibh tú?!

Why on ~ did you do it? Cén donas a thug ort é a dhéanamh?

It would cost the ~!

Chosnódh sé cluasa do chinn ort (agus baile beag)!

I'd move heaven and ~ to save him.

Rachainn go fíoríochtar ifrinn chun é a shábháil.

You've got to come down to ~! Caithfidh tú teacht chun talaimh!

45

easy

You don't have it ~! Níl clúmh le d'adhairt!

Take it ~! Tóg (go) bog é!

~ as falling off a log chomh héasca lena bhfaca tú riamh

~ come ~ go!

An rud a fhaightear go héasca, imíonn sé go heasca!

Easier said than done! Is fusa a rá ná a dhéanamh!

She's very ~ -going. Is duine sochma/ so-ranna í.

Go ~ on the butter! Tarraing go caol ar an im!

eat

to ~ like a wolf ithe ar nós gadhair

She has him ~ing out of her hand.

Tá sé ceansaithe ar fad aici., Tá sé ar teaghrán aici.

~ your heart out Elvis!

Bíodh do chroí á shníomh le héad, Elvis!

I'll make him ~ his words.

Cuirfidh mise a chuid cainte ina ghoile dó.

What's ~ing you? Cad tá ag déanamh scime duit?

ebb

I was at a very low ~. Bhí mé in ísle brí.

My strength is ~ing. Tá mo neart ag trá.

edge

I couldn't get a word in ~ways.

Ní raibh caoi agam fiú focal amháin a chur isteach.

It sets my teeth on ~.

Cuireann sé gearradh fiacla orm.

In the examination she had the ~ on the other candidates.

Sa scrúdú bhí sí giota beag níos fearr ná na hiarrthóirí eile.

I was all on ~ and jittery. Bhíos ar aon bharr amháin creatha.

egg

as sure as ~s is ~s

chomh cinnte agus tá an Cháisc ar an Domhnach

He's a bad ~! Is suarach an mac é! Is cladhaire díomhaoin é!

She ~ed him on. Shéid sise faoi., D'ardaigh sí thiar leis.

That will be a nice little nest- ~ for you when you've retired.

Beidh sin ina bhonnachán beag deas agat agus tusa ar phinsean.

Don't put all your ~s in one basket.

Ní thiocfaidh tú i dtír ar na prátaí amháin!

eight

He had one over the ~. Bhí braon thar an gceart ólta aige.

elbow

Put some ~ grease into it! Cuir bealadh faoi na hioscaidí!

I have no ~ room here to work properly.

Níl fairsinge chun oibre fiúntaí anseo agam.

He ~ed his way to success.

Ghuailleáil sé a shlí go dtí gur bhain sé a raibh uaidh amach.

More power to your ~! Go méadaí Dia thú!

element

She braved the ~s. Thug sí dúshlán na síne uirthi féin.

She was in her ~. Bhí sí ar a buaic.

elephant

white ~s eilifintí bána

This was just another of the government's white ~s!

Ní raibh anseo ach eilifint bhán eile de chuid an rialtais.

eleven

We're going for our elevens's.

Táimid chun ár sos beag maidine a thógáil.

The money was refunded at the ~th hour. Aisíocadh

an t-airgead ag an aonú huair déag., Tugadh an t-airgead

ar ais ag an nóiméad deireanach.

empty

He left ~ handed.

D'imigh sé agus an dá lámh chomh fada lena chéile.

It's just ~ words. Níl ann ach caint dhíomhaoin.,

Níl ann ach focail gan cur leo.

end

You've got the wrong ~ of the stick.

Tá ciall chontráilte bainte amach agat as an scéal.

I'm at the ~ of my tether. Táim i ndeireadh na péice.

She travelled to the ~s of the earth looking for it.

Chuaigh sí go tíortha in imigéin ar a thóir.

We'll never hear the ~ of it if we don't let him go there.

Ní bheidh dul abhaile againn mura ligimid dó dul ann.

He came to a bad ~. Rug droch-chríoch air.

They're finding it hard to make both ~s meet.

Níl siad ag maireachtáil ach ó láimh go dtí an béal.

envy

> **When she married the prince, she was the ~ of the world.**
> Nuair a phós sí an prionsa, ní raibh bean ar an domhan nár
> theastaigh uaithi bheith ina háit.
> **You are the ~ of the world.** Tá an domhan go léir ag éad leat.
> **I'm green with ~.** Táim marbh ag an éad.

equal

> **all other things being ~** agus gach ní eile mar a chéile

errand

> **It was a fool's ~.** Turas in aisce a bhí ann.

error

> **He saw the ~ of his ways.** Thuig sé an dul amú a bhí air.
> **to find out by trial and ~**
> fáil amach trí bhíthin mhodh na trialach agus na hearráide

eternal

> **the ~ triangle** triantán an ghrá

even

> **to keep on an ~ keel** fanacht ar chíle chothrom
> **We just about broke ~.**
> Is ar éigean a bhaineamar an pointe meá ar mheá amach.
> **It's ~ money!** Tá sé leath ar leath.
> **to get ~ with a person** cúiteamh a bhaint as duine

event

> **It's easy to be wise after the ~.** Tar éis tuigtear gach beart.
> **In any ~ I won't be there.** Ar chaoi ar bith ní bheidh mise ann.

every

> **~ man jack of you!** Gach mac máthar díobh!
> **~ now and then** anois is arís
> **~ other day, week…** gach re lá, seachtain…

evil

> **She put the ~ eye on him.** Leag sí an tsúil mhillte air.
> **They have fallen on ~ days.** Tá siad tite in umar na haimléise.

example

> **to set a good ~** dea-shampla a thabhairt
> **for ~** mar shampla
> **She made an ~ of him.** Rinne sí eiseamláir de.

exception

> **without ~** as éadan a chéile

exhibition

Don't make an ~ of yourself! Ná déan seó saolta díot féin!

expect

She is ~ing. Tá sí ag feitheamh clainne/ ag gabháil aniar.

I ~ you're right. Is dócha go bhfuil an ceart agat.

expense

At my ~! Mise atá thíos leis!

She was laughing at my ~.
Bhí sí ag magadh fúmsa.

travelling ~s costais taistil

eye

That's all my ~! Níl ansin ach amaidí!

Get an ~ful of this! Bain lán do dhá shúil as seo!

He couldn't look me straight in the ~.
Níorbh fhéidir leis féachaint orm idir an dá shúil.

She was making ~s at me.
Bhí sí ag iompú catsúile liom.

Keep an ~ on the children!
Coimeád súil ar na páistí!

He did it with his ~s open.
Rinne sé é agus a shúile ar lánoscailt aige.

She is very much in the public ~.
Tá sí go mór os comhair an phobail.

She cried her ~s out. Chaoin sí uisce a cinn.

That was an ~~opener for him. D'oscail sin na súile dó.,
Bhain sin na fachailí as na súile aige., Rinne sé a shúile dó.

He did it in the twinkling of an ~.
Rinne sé i bhfaiteadh na súl é.

He couldn't take his ~s of that girl. Bhí na súile ar tí preabadh
amach as a cheann agus é ag stánadh t ar an gcailín sin.

He pulled the wool over my ~s. Chuir sé an dallamullóg orm.

The monument is an ~ -sore. Is gránnacht shaolta é an leacht.

He turns a blind ~ to it. Ligeann sé air nach bhfeiceann sé é.

I'm up to my ~s with work. Tá an fómhar ag leathadh orm.

She did it with an ~ to being promoted. Rinne sí é agus súil
aici go bhfaigheadh sí ardú céime dá bharr.

I saw it with my own two ~s. Mo dhá shúil a chonaic é.

I can't keep my ~s open. Tá mo shúile ag titim ar a chéile.

49

F

face

> **You can't take everything at ~ value.**
> Ní ionann i gcónaí cófra agus a lucht.
> **The answer is staring you in the face.**
> Tá an freagra ag stánadh idir an dá shúil ort.
> **~ to ~ aghaidh ar aghaidh, os comhair a chéile**
> **Why the long ~?!** Tuige an aghaidh ghruama?!
> **Her ingratitude was like a slap in the ~.**
> Bhí a míbhuíochás amhail boiseog trasna an bhéil.
> **We'll have to ~ the music.**
> Caithfimid dúshlán na doininne a thabhairt.
> **on the ~ of things** de réir cosúlachta
> **I found it hard to keep a straight ~.**
> Ba chrua liom dreach stuama a choinneáil orm féin.
> **She was pulling ~s.** Bhí sí ag cur strainceanna uirthi féin.
> **Let's ~ it that project is dead in the water.**
> An fhírinne choíche, tá an tionscnamh sin caite i gcártaí.
> **She tried to put a good ~ on things.**
> Rinne sí iarracht dea-dhealramh a chur ar dhroch-ghnó.
> **to save ~** oineach a theasargan

fact

> **to face the ~s** aghaidh a thabhairt ar na fíricí
> **Owning to the ~ that he was late.** Ós rud é go raibh sé déanach.
> **~s are ~s!** Ní féidir an fhírinne a shéanadh!

fail

> **Words ~ me!** Níl insint béil agam air.

faintest

> **I haven't the ~ idea.** Níl tuairim dá laghad agam.

fair

> **~ play to you!** Féar plé duit!
> **I shall have it by ~ means or foul!**
> Beidh sé agam más cóir nó murach é!
> **He won it square and ~.** Bhuaigh sé go macánta é.

fairweather
~ **friends** cairde faille
He was only a ~ friend. Ní raibh ann ach mo-ghrá-thú-rud-agat.

faith
I did it in good ~. Le dea-rún a rinne mé é.

fall
~ **guy** crann crústa
He was just the ~ guy. Ní raibh ann ach an ceap milleáin.
I'm ~ing behind with my work.
Táim ag titim i ndiaidh mo láimhe.
It ~s on me to say a few words.
Ormsa an dualgas cúpla focal a rá.
If you haven't any qualifications, you've nothing to ~ back on.
Mura mbíonn aon cháilíochtaí agat ní bheidh aon chúltaca agatsa.
He fell foul of the law. Tháinig sé salach ar an dlí.
His advice fell on deaf ears.
Tugadh an chluas bhodhar dá chomhairle.
All our plans fell through.
Thit an tóin as ár bpleananna go léir.
The party fell flat. Theip ar an chóisir ar fad.

false
It was a ~ alarm. Rabhadh bréige a bhí ann.

familiarity
~ **breeds contempt.** Méadaíonn an taithí an tarcaisne.

family
She's in the family way. Tá sí ag teacht abhaile.
A love of jazz runs in our ~.
Tá grá don snagcheol i bhfuil mo mhuintire.

fancy
He fancies himself as a dancer.
Damhsóir den scoth é dar leis féin.
He really fancies himself that guy!
Tá an leaid sin i ndáiríre ag éirí aniar as féin!
He fancies her. Tá lé aige léi.
Do you ~ a drink? Cad a déarfá le deoch?
~ **that!** Féach air sin anois!

fancy-free
foot loose and ~ gan ghá gan ghrá

51

far

> She is ~ and away the best. Níl a sárú ann.
> He's no genius - ~ from it! Ní ginias é – ná gar dó (é)!
> His fame has spread ~ and wide.
> Scaipeadh a chlú i gcéin is i gcóngar.
> It's ~ better to fly to Aran.
> Tá sé i bhfad Éireann níos fearr eitilt go hÁrainn.
> It's by ~ the best way.
> Is é an tslí is fearr go mór fada é.
> That's going too ~. Tá sin ag dul thar fóir.
> It's a ~ cry from the first computer.
> Is fada buí ón chéad ríomhaire é.
> so ~ so good! Go dtí seo go seoigh!
> as ~ as I know ar feadh a bhfuil a fhios agam
> as ~ as I am aware go bhfios dom

fashion

> He works after a ~. Bíonn sé ag obair ar chaoi éigin.

fast

> ~ food bia mear
> He pulled a ~ one on me. Bhuail sé bob orm.

fat

> A ~ lot of use you were at the end of the day!
> Ba bheag an chríoch a bhí ortsa sa deireadh thiar thall!
> What a ~ lot of good that'll do you!
> Cén tairbhe duitse as sin?!
> A ~ chance of anything like that happening.
> Baistfear an diabhal sula dtarlóidh a leithéid.
> He lives off the ~ of the land.
> Bíonn an chuid is fearr de gach rud aige siúd.
> Now the ~ is in the fire. Tá an lasair sa bharrach anois.

fate

> Dishonour is a ~ worse than death. Is fearr an bás ná an easonóir.
> They were left to their ~. Fágadh iad i muinín a gcinniúna.
> They were ~d to meet one another.
> Bhí sé i ndán dóibh bualadh lena chéile.
> The ~s na Fáithe
> He met his ~ in a motorbike accident.
> Tháinig an bás chuige i dtionóisc ghluaisrothair.

father

> **Like ~ like son.**
> Cad a dhéanfaidh mac an chait ach luch a mharú.

fault

> **She is generous to a ~.**
> Is beag nach dtéann sí thar fóir leis an bhféile.

fear

> **No ~! Beag an baol!**
> **Do you want to get married? – No ~!**
> An dteastaíonn uait pósadh? – Baol ormsa!
> **He used to put the ~ of God into the pupils.**
> Chuireadh sé scanradh a n-anama sna daltaí.
> **Not much ~ of that happening.**
> Is beag an baol go dtarlódh sé sin.

feather

> **That's a ~ in her cap!** Sin cleite ina sciathán!
> **His lack of courtesy ruffled her ~s.**
> Tháinig a easpa cúirtéise in aghaidh an tsnáithe uirthi.
> **She's ~ing her own nest.**
> Ag tochras abhrais di féin a bhíonn sí.
> **Birds of a ~ flock together.** Aithníonn ciaróg ciaróg eile.
> **You could have knocked me down with a ~.**
> D'fhéadfaí mé a leagan le tráithnín.

fed

> **I'm fed up (to the back teeth) with it.**
> Táim bréan dóite de.

feel

> **~ free to have a go!** Bain triail as! Tá fáilte romhat!
> **There's a storm brewing. I ~ it in my bones.**
> Tá stoirm air. Mothaím i mo chnámha é.
> **After losing my job I really felt the pinch.** Tar éis dom mo
> phost a chailleadh bhí an gátar ag teannadh go mór orm.
> **It took time but I eventually got the ~ of the new job.** Thóg
> sé tamall ach sa deireadh tháinig mé isteach ar an obair nua.

feelings

> **He has no ~.** Tá sé gan croí ar bith.
> **She was able to vent her ~.**
> Bhí sí ábalta a racht a ligean amach.

feet

I'm rushed off my ~ with the work.

Tá lúth na gcos bainte díom leis an obair.

After the misfortune he landed on his ~ nonetheless.

Tar éis an mhí-áidh tháinig sé anuas ar a chosa mar sin féin.

I wanted to do it but I got cold ~.

Theastaigh uaim é a dhéanamh ach loic mé.

It's nice to be able to put one's ~ up.

Is aoibhinn nuair is féidir leat do scíth a ligean.

He has two left ~. Tá dhá chos chlé air.

Her love for him swept him off his ~

Bhain a grá a bhí aici dó dá chosa é.

fence

to sit on the ~ fanacht ar an gclaí

fettle

I'm in fine ~ Tá mé go buacach.

fiddle

He's as fit as a ~.

Tá sé chomh folláin le breac.

The accountant was on the ~.

Bhí an cuntasóir i mbun cúblála.

I'm not playing second ~ to her!

Nílim chun bheith i mo ghiolla freastail dise!

field

The reporters had a ~ day when the news broke.

Bhí lá fómhair ag na tuairisceoirí nuair a bhris an scéal.

fifth

I was like a ~ wheel.

Bhí mise le cois.

fight

He has a ~ing chance of recovery.

Tá caolseans ann go dtiocfaidh biseach air.

~ to the death troid go himirt anama

I'm trying to ~ off this cold. Táim ag iarraidh gan ligean don slaghdán seo greim a fháil orm

figment

It was just a ~ of your imagination.

Níl raibh ann ach oibriú do shamhlaíochta féin.

figure

That ~s. Luíonn sin le réasún.

file

in single ~ duine i ndiaidh duine

fill

I'll be ~ing in for the teacher while she is out sick.
Beidh mise in áit an mhúinteora fad a bhíonn sí tinn.

Let me ~ you in on everything that has happened
so far. Lig domsa eolas an scéil a thabhairt duit ar ar
tharla go dtí seo.

fine

You're cutting it ~ if you want to catch the bus! Níl tú
ag fágáil mórán ama duit féin más mian leat an bus a fháil.

Not to put too ~ a point on it!
Gan fiacail a chur ann!

one of these ~ days lá de na laethanta breátha seo

finger

She's all ~s an thumbs. Tá méara sliopacha uirthi.

I don't want to point the ~ at any one. Ní theastaíonn
uaim méar chúisitheach a shíneadh chuig éinne.

You put your ~ on it. Leag tú do mhéar air.

She has him twisted round her little ~.
Tá sé ar teaghrán aici.

He didn't lift a ~ to help us.
Níor chorraigh sé cos leis chun cabhrú linn.

She has a ~ in every pie.
Tá a ladhar i ngach aon ghnó aici.

I worked my ~s to the bone and this is the thanks I get!
Thug mé marú an daimh dom féin leis an obair agus seo
an buíochas a fuair mé.

She has green ~s. Is garraíodóir ó dhúchas í.

He's a diplomat to his ~tips.
Is taidhleoir go smior na gcnámh é.

On the control panel you've everything at your ~ tips.
Ar an chonsól rialaithe bíonn gach rud faoi láimh agat.

finish

to fight to the ~ troid a dhéanamh go bun an angair
to give it the ~ing touches bailchríoch a chur air

55

fire

We got on like a house on ~.
D'éiríomar thar cionn lena chéile.
to add fuel to the ~ an iaróg a chothú
It spread like wild ~.
Scaipeadh é mar a bheadh falscaí ann.
If you have any questions, ~ away!
Má tá ceisteanna ar bith agat, ar aghaidh leat!
You are playing with ~. Tá tú ag rith ar thanaí.
The government in under ~ from the Press.
Tá an rialtas á ionsaí ag an bPreas.
He has too many irons in the fire.
Tá an iomarca ar na bioráin aige.

first

at ~ hand ón fhoinse bhunaidh
She has ~ hand knowledge of it.
Tá eolas bunaidh aici ar an scéal.
at the ~ opportunity ar an gcéad chóngar
in the ~ place i dtosach báire
I'll do it ~ thing when I get back.
Déanfaidh mé é a luaithe is a thiocfaidh mé ar ais.
I don't know the ~ thing about computers.
Níl eolas dá laghad agam ar na ríomhairí.
She's a poet of the ~ water. Is file den chéad scoth í.
~ things ~! Ní den abhras an chéad snáithe!,
Tosaímis ag an tús!

fish

She's like a ~ out of water.
Tá sí mar a bheadh cág i measc péacóg.
There are plenty more ~ in the sea.
Tá breac san abhainn chomh maith is a gabhadh fós.
That's a different kettle of ~. Sin clog eile.
I have other ~ to fry. Tá a mhalairt de chúram ormsa.
Antonio sleeps with the ~es. Tá Antonio ina bhia ag na héisc.
He is ~ing for compliments. Tá sé ar lorg an phlámáis.
He's ~ing in troubled waters.
Bíonn sé ag teacht i dtír ar anró dhaoine eile.
It sounds ~y. Tá boladh an mhadra rua uaidh.

56

fist

> She made a good ~ of the work.
> Rinne sí lámh mhaith den obair.
> They're making money hand over ~.
> Tá siad ag carnadh airgid.

fit

> I work in ~s and starts.
> Buaileann tallanna oibre mé.
> I was in ~s of laughter.
> Bhí mé sna trithí dubha le gáire.
> She did it in a ~ of temper.
> Rinne sí é agus racht feirge uirthi.
> She'll have a ~ if she finds out.
> Tiocfaidh an lí buí uirthi má fhaigheann sí amach.
> It's a coat ~ for a king! Is díol rí de chóta é!
> He's as ~ as a fiddle. Tá sláinte an bhradáin aige.,
> Tá sé chomh folláin le breac.
> The dress ~s like a glove. Níl slí ach ar éigean sa ghúna.
> If she sees ~ to do such a thing.
> Má fheictear di gur chóir a leithéid a dhéanamh.

flake

> He ~d out. Thit sé ina chnap.

flash

> It was a flash in the pan. Gal soip a bhí ann.
> It came to me in a ~. Tháinig sé chugam de phreab.
> I had a ~ back to a time when I was young.
> Fuair mé iardhearcadh ar am nuair a bhí mé óg.
> ~y car carr taibhsiúil

flat

> I was working ~ out. Bhíos ag obair faoi lánseol.
> It's as ~ as a pancake. Tá sé ina leircín.,
> Tá sé chomh leata le pancóg.
> The meeting fell completely ~.
> Thit an tóin as an chruinniú ar fad.
> He ~ly refused. Dhiúltaigh sé go lom.

flea

> She was sent away with a ~ in her ear.
> Tugadh chun bealaigh í go maolchluasach.

flesh

We're all just ~ and blood.

Níl ionainne go léir ach cré an duine.

~ is weak.

Tá an cholainn claon.

They live in the ~-pots of Dublin.

Tá siad ina suí go sómasach i mBaile Átha Cliath.

He did it to his own ~ and blood.

Rinne sé é in aghaidh a ghaolta fola féin.

He went the way of all ~. Chuaigh sé ar an mórshlua.

flight

~ of fancy spadhar

She took up Latin in a ~ of fancy.

Bhuail an spadhar í agus chuaigh sí i mbun na Laidine.

She's a ~y girl. Is giodróg í.

flog

You're ~ging a dead horse.

Tá tú ag marú madra marbh.

That matter has been ~ged to death.

Tá sú na beatha fáiscthe as an scéal sin.

to ~ stolen goods earraí goidte a reic

floor

She wiped the ~ with me. Rinne sí madra draoibe díom.

I have the ~! Liomsa cead cainte!

flush

in the first ~ of success leis an chéad loinne den rath

fly

He's a ~-by-night. Is 'Tommaí Uí Láthair – Tommaí Uí bhfad' é

He flew off the handle. Chaill sé a ghuaim.

to pay a ~ing visit to Sligo sciuird a thabhairt go Sligeach

I'm not staying. I'm only here on a ~ing visit.

Nílim ag fanacht. Nílim anseo ach ar cuairt reatha.

He's a high ~er in business. Is sárionramhálaí ghnó é.

That would ~ in the face of social convention.

Rithfeadh sé sin in aghaidh ghnáis an phobail.

That is the ~ in the ointment. Is é sin an breac sa bhainne.

There ar no flies on him. Níl aon néal air.

foam

He was ~ing at the mouth. Bhí cúr lena bhéal.

fog

I haven't the ~giest notion. Níl cliú dá laghad agam.

follow

I'm ~ing my father's footsteps.

Tá lorg m'athar á leanúint agam.

~ the yellow brick road! Lean bóthar na mbrící buí!

He went to bed early and I ~ed suit.

Chuaigh sé chun a leapa go luath agus rinne mise amhlaidh.

food

It gave me much ~ for thought.

Thug sé ábhar maith machnaimh dom.

fool

I was sent on a ~'s errand. Turas in aisce a bhí agam.

You're living in a ~'s paradise. Tá dallach dubh ort.

He made a ~ of himself. Rinne sé amadán de féin.

More ~ you for believing him!

Nach tusa an t-amadán gur chreid tú é!

You're only ~ing yourself in the long run.

Níl tú ach do do mhealladh féin sa deireadh thiar thall.

Don't play the ~ with me! Ná bí ag pleidhcíocht liomsa!

foot

He has one ~ in the grave. Tá cos leis san uaigh.

When the boot's on the other ~ he changes his tune.

Ar chasadh na n-each tá a mhalairt de scéal aige.

She has a ~ in the door now. Tá cos sa doras aici anois.

I wanted to put my best ~ forward.

Theastaigh uaim an chos ab fhearr liom a chur chun tosaigh.

She put her ~ down and the pupils became quiet. Chuir sí in iúl gurbh í an mháistreás agus d'éirigh na daltaí ciúin.

He keeps putting his ~ in it.

Bíonn sé de shíor ag déanamh meancóga móra.

And don't ever set ~ in my doorway again!

Agus ná dall mo dhoras go brách arís!

force

May the ~ be with you! Go raibh an Fórsa leat!

from ~ of habit le teann cleachtaidh

fore

> She has recently come to the ~ in politics.
> Tá sí le tabhairt faoi deara i gcúrsaí polaitíochta le déanaí
> **at the** ~ ag an gcrann tosaigh, chun tosaigh

fork

> I had to ~ out 4000 euro.
> Bhí ormsa ceithre mhíle euro a shíneadh amach.
> White man speak with ~ed tongue.
> Labhraíonn an fear bán le teanga ghabhlánach.

form

> for ~'s sake ar mhaithe le gnás
> How's the ~? Conas tá an misneach?
> He's in great ~ these days.
> Bíonn sé lán de cheol na laethanta seo.

fort

> I'm holding the ~. Tá mise i mo sheasamh sa bhearna.

forward

> I'm looking ~ to your arrival. Is fada liom do theacht.

foul

> He fell ~ of the law. Tháinig sé salach ar an dlí.
> ~ play feall

four

> The baby was on all ~s. Bhí an leanbán ar a cheithre boinn.

free

> He was given a ~ hand. Tugadh cead a chinn dó.
> The debate soon descended into a ~-for-all. Níorbh
> fhada go ndeachaigh an díospóireacht ó smacht ar fad.
> She got off scot ~. Thug sí na haenna léi go slán sábháilte.

French

> to take ~ leave imeacht gan cead
> Excuse my ~! Maith dom na focail throma!

fresh

> as ~ as a daisy chomh húr le haer na maidine,
> chomh haibí le huan
> while it's still ~ in my memory
> fad is atá cuimhne ghrinn agam air

Freudian

> ~ slip rith focal Freudach

Friday

    It's that ~ feeling! Is éirí croí Dé hAoine é!

friend

    (influential friend) **She has a ~ at court.** Tá lapa aici.

frighten

    I was ~ed out of my wits. Cuireadh scanradh m'anama orm.

fro

    to and ~ anonn is anall *(see also: to-ing)*

frog

    She can't talk because she has a ~ in her throat.

    Ní féidir léi labhairt mar tá piachán ina scornach.

fruit

    All his efforts bore ~ in the end.

    Thug a chuid iarrachtaí go léir toradh sa deireadh.

    the forbidden ~ úll na haithne

    ~less inquiry fiosrúchán gan toradh

fry

    She's only small ~. Níl inti siúd ach mionachar.

    out of the ~ing pan into the fire

    ó theach an deamhain go teach an diabhail

    I have other fish to ~.

    Tá a mhalairt de chúram ormsa.

fuel

    to add ~ to the fire adú leis an achrann

full

    at ~ blast faoi racht seoil

    in ~ swing faoi lánseol.

    at ~ pelt ar lánluas

    She has her hands ~ looking after the children.

    Tá sí ag obair dólámhach ag tabhairt aire do na páistí!

    You should enjoy life to the ~.

    Ba chóir duit taitneamh iomlán a bhaint as an saol.

    He's ~ of himself. Tá sé lán de féin., Tá sé lán de lán.

    ~ steam ahead! Ar aghaidh faoi iomlán gaile!

    He will go to prison for the ~ stretch.

    Beidh sé ar leana chláir ar feadh an achair iomláin.

    All the facts will come out in the ~ness of time.

    Le himeacht aimsire tiocfaidh an fhírinne iomlán amach.

fun

to poke ~ at a person magadh a dhéanamh faoi dhuine

Let's do it just for ~! Déanaimis é le teann spóirt!

funeral

It's your ~! Cuirfidh mé cloch ar do charn!

He'd be late for his own ~.

Bheadh sé déanach dá shochraid féin.

funk

He was in a blue ~. Bhí sé ar crith le heagla.

funny

None of your ~ business! Cuir uait do chuid geáitsí!

fuss

What's all the ~ about?

Cad faoi a bhfuil an fuadar go léir?

She's a real ~y boots! Cearc ghoir ó inis Oirr í!

fusser

He's a terrible ~! Is fústaire uafásach é!

G

gab

You've got the gift of the ~.

Tá bua na teanga aibí agat.

gain

They're ~ing ground on us. Tá siad ag teannadh orainn.

to ~ the upper hand an lámh in uachtar a fháil

You'll ~ absolutely nothing by doing that.

Ní bheidh faic agat de bharr é sin a dhéanamh.

game

I'm ~! Rachaidh mise leis!

That's not playing the ~! Ní cothrom na Féinne é sin!

~, set and match! Cluiche, cor agus comórtas!

Politicians are fair ~ for press criticism! Níl ann ach an ceart a bheith ag cáineadh polaiteoirí sa phreas.

Come on out with your hands in the air! The ~ is up!
Tar amach le do lámha in airde! Tá an báire thart!
You gave the ~ away with the big grin on your face.
Sceith tusa an scéal leis an chár gáire sin a bhí ort.
I know well your ~!
Is maith is eol domsa cad a bhíonn ar siúl agatsa!
Farming is a mug's ~ today. Ní bhfaighfeá ach
amadán i mbun na feirmeoireachta sa lá atá inniu ann.
Computers is the name of the ~.
Is le ríomhairí a bhíonn gach duine ag dul anois.
You're playing a losing ~. Tá tú ag imirt i gcluiche caillte.

garden

She led him up the ~ path. Chuimil sí sop na geire de.,
Chuir sí cluain an mhadra mheallta air.

gasp

He's on his last ~. Níl ann ach an dé., Tá cos leis san uaigh.,
Tá seisean i ndeireadh na preibe.
I'm ~ing for a drink. Táim spalptha leis an tart.
He was ~ing for air. Bhí saothar mór air.

gauntlet

to run the ~ of public scorn tarcaisne an phobail a sheasamh
She threw down the ~ when she called him a cheat.
D'éiligh sí uaidh a mhalairt a chruthú nuair a thug sí séitéir air.

get

It ~ting on for four o'clock.
Tá sé ag teannadh ar a cheathair a chlog.
I just want to ~ away from it all for a while. Níl uaim ach
a bheith saor ó chúraimí uile an tsaoil ar feadh tamaillín.
~ a life! Faigh beatha duit féin!
He got off with Róisín. D'éirigh leis siúl amach le Róisín.
She told him where to ~ off.
Dúirt sí leis céard arbh fhéidir leis a dhéanamh leis féin.

ghost

I hadn't a ~ of a chance. Ní raibh seans faoin spéir agam.

gift

Don't look a ~-horse in the mouth!
Ná lochtaigh an rud a gheobhaidh tú saor in aisce.
She has a ~ for singing. Tá bua na hamhránaíochta aici.

give

    I gave him what for. D'fhág mé tochas ina chuais aige.

    She gave him as good as she got.

    Thug sí cor in aghaidh an chaim dó.

    She gave him hell when he came home late.

    Thug sí íde na muc is na madraí dó nuair a tháinig sé
    abhaile go déanach.

    (toast) **I ~ you the bride and groom!**

    Ólaimis sláinte na brídeoige agus an ghrúim!

    There has to be a little ~ and take! Cead dom cead duit!

    He was giving out the pay to me. Bhí sé ag casacht pá liom.

    I gave you up for lost. Níl raibh súil agam leatsa choíche arís!

    I haven't ~ up on you yet.

    Níl mo shúil bainte díot go fóill!

    I ~ up! Géillim!, Éirím as!

glad-rags

    I put on my ~. Chuir mé mo bhalcaisí Domhnaigh orm féin.

glass

    People who live in ~ houses shouldn't throw stones!

    An pota ag aor ar an gciteal!,

    Achasán na hóinsí don amaid!,

    Cibé atá saor ó pheaca, caitheadh sé chéad chloch!

glove

    It fits like a ~. Is ar éigean atá slí ann.

    The ~s were off when she was cross-questioning him.

    D'imir sé neart lámh air agus í á chroscheistiú.

    She treated him with kid ~~s.

    D'ionramháil sí é go cáiréiseach.

glut

    There is a ~ of computers on the market this year.

    Tá an margadh calctha le ríomhairí i mbliana.

glutton

    You must be a ~ for punishment. Is amhlaidh nach luíonn
    aon bhuille ar chor ar bith ortsa, an ea?!

    She is ~ous for work. Tá sí scafa chun na hoibre.

gnaw

    ~ed by hunger stiúgtha leis an ocras

go

She's always on the ~. Bíonn sí de shíor i mbun oibre éigin.

She keeps them on the ~. Coimeádann sí fuadar fúthu.

Let's have a ~! Bainimis triail as!

Have a ~! Bain triail as!

all in one ~ d'aon iarraidh amháin

That's all the ~ now! Is é sin an faisean anois!

Everything is ~ing great guns. Tá uile shórt ag dul go seoigh!

It ~es without saying that I'm very upset about everything.
Ní gá dom a rá ach go bhfuilim buartha go mór faoi gach rud.

Try to make some ~ of it. Déan iarracht caoi éigin a chur air!

Are you ~ing to ~ through with it?
An bhfuil tú chun é a thabhairt chun críche?

All the success has ~ne to his head.
Chuaigh an rath go léir ina cheann dó.

From the word ~ he was trouble.
Ó thosach báire bhí an t-achrann ann.

He has completely ~ne to pot. Tá sé imithe chun donais ar fad.

goat

Stop acting the ~! Cuir uait an phleidhcíocht!

He really gets my ~ at times!
Cuireann sé straidhn ormsa ar uaire

God

Act of ~ foiche Dé

It's in the lap of the ~s. Faoi Dhia amháin atá sé.

~ help us! Go bhfóire Dia orainn!

Thanks be to ~! Buíochas le Dia!

~ have mercy on his soul! Go ndéana Dia trócaire ar a anam!

~ bless you! Go mbeannaí Dia thú!

~ forgive you! Go maithe Dia thú!

He thinks he's ~'d gift to women!
Measann sé gurb é féin bronntanas Dé don bhantracht é.

gold

She married him for his wealth – she's a ~-digger at heart.
Phós sí é ar son a mhaoine – níl ina chroí ach grá na hailpe.

The ~en fleece Lomra an Óir

~en opportunity sárfhaill

~en rule sár-riail, an príomhphrionsabal

good

The baby was as ~ as gold.

Bhí an leanbán chomh socair le huan.

This is as ~ as it gets. Ní éiríonn sé níos fearr ná seo.

~ enough! Ceart go leor!

~ for you! Mo cheol thú!

~ to see you! Tá áthas orm tú a fheiceáil!

~ Heavens! A Dhia Mhóir!

~ morning! Dia duit ar maidin!

~ afternoon! Tráthnóna maith agat!

~ night! Oíche mhaith agat!

That's a ~ one! Sin scéal maith!

She gave him as ~ as she got.

Mar a thomhais sé chuici, thomhais sí chuige.

A lot of ~ it will do you!

Is beag an tairbhe a bheidh agat dá bharr!

It's as ~ as done!

Tá sé ionann agus déanta!

He's a ~ -for-nothing. Is beag de mhaith é.

It's no ~ talking about it.

Is beag an chabhair a bheith ag caint faoi.

It did me the world of ~.

Rinne sé maitheas mór dom.

It's simply too ~ to be true.

Tá sé dochreidte go dtarlódh maitheas dá leithéid.

goods

He talks big but can he deliver the ~?

Tá an focal mór aige ach an bhfuil sé ábalta cur leis?

goose

Your ~ is cooked!

Tá do chnaipe déanta!

The Wild Geese Na Géanna Fiáine

Don't kill the ~ that lays the golden eggs!

Ná maraigh gé na n-uibheacha óir!

What's sauce for the ~ is sauce for the gander.

Ní faide gob na gé ná gob an ghandail.

She's a silly ~! Is óinsín í!

grab

How does that ~ you?

Conas a aimsíonn sin thú?, Conas a thaitníonn sin leat?

This job is up for ~s. Tá an post seo ar lorg iarrthóirí.

grace

in good ~ i bpáirt mhaitheasa

This is his one saving ~.

Is é seo an t-aon suáilce amháin a bhíonn aige.

She had the ~ to admit her mistake.

Bhí sé de dhea-mhéin inti a dul amú a admháil.

It's very nice of you to ~ us with your presence. Nach deas uait an chomaoin a rinne tú orainn agus ' bheith i láthair.

grade

He didn't make the ~. Níor éirigh leis.

Níor bhain sé an caighdeán cuí amach.

grain

It goes against the ~ to do something like that.

Téann sé in aghaidh an fhionnaidh a leithéid a dhéanamh.

grandmother

Don't teach your ~ how to suck eggs! Ní mhúineann an t-uan méileach dá mháthair., Ná cuir ainbhios ar sheanóir!

granted

She took it for ~ that he wouldn't be late.

Rinne sí talamh slán de nach mbeadh sé déanach.

Don't take that for ~!

Ná codail ar an gcluas sin!

He takes too much for ~.

Is ró-éasca leis dóigh a dhéanamh dá bharúil.

grape

I heard it on the ~ vine.

Chuala mé ag dul tharam é.

That's just 'sour ~s'.

Níl ansin ach 'silíní searbha'!

grasp

Things like that are out of my ~.

Ní bhíonn breith agamsa ar rudaí dá leithéid.

He has a good ~ of the matter.

Tá greim maith/ tuiscint mhaith ar an scéal aige.

grass

> The ~ on the other side is always greener.
> Is milse i gcónaí arán na gcomharsan.,
> Is glas iad na cnoic i bhfad uainn.
> **Our party must get in touch with its ~ roots again.** Ní mór
> dár bpáirtí dul i dteagmháil lena fréamhacha bunaidh arís.
> **Don't let the ~ grow under your feet!**
> *(BAC)* Ná lig don fhéar fás faoi do chosa!, Tapaigh do dheis!
> **The old manager was put out to ~.**
> Cuireadh an seanbhainisteoir ar féarach.

grasshopper

> **I've been riding since I was knee high to a ~.**
> Bhí mise ag marcaíocht sula raibh mé in ann siúl.

grave

> **He has one foot in the ~.** Tá cos leis san uaigh.
> **My father would turn in his grave if he saw that.**
> Murab é go raibh m'athair marbh, chuirfí chun na cille
> cinnte é dá bhfeicfeadh sé a leithéid!

gravy

> **Many people think that civil servants ride the ~ train.**
> Ceapann a lán daoine go mbíonn saol an mhadra bháin
> ag na státseirbhísigh.

Greek

> **It's all ~ to me!** Ní thuigim focal de!
> **Beware of ~s bearing gifts!** *(lit.)* Fainic na Gréagaigh ag
> iompar féiríní!, Nuair a thagann an ceann cait go lá spóirt
> na luch – ní chun rith sa sac-rás é!

green

> **He is still ~ in this line of business.**
> Níl sé ach tais/ glas ar a leithéid seo de ghnó.
> **She was ~ with envy.** Bhí sí ite ag an éad.
> **She has ~ fingers.** Tá méara glasa uirthi.
> **as ~ as grass** chomh glas leis an fhéar

grey

> **This is a ~ area.** Is limistéar doiléir é seo.

grief

> **You'll come to ~ if you do that.**
> Tiocfaidh tú in anchaoi má dhéanann tú é sin.

grin

> We'll just have to ~ an bear it.
>
> Caithfimid ól na dí seirbhe a thabhairt air.,
> Níl leigheas air ach foighne.
>
> **He was ~ning like a Cheshire cat.**
>
> Bhí draidgháire air ó chluas go cluas.

grind

> Let's keep our nose to the ~ -stone!
>
> Fanaimis faoi dhaoirse na gcorr.
>
> **the daily ~** tiaráil an lae
>
> **Do we have to visit auntie Méabh? – What a ~!**
>
> An gcaithfimid cuairt a thabhairt ar Aintín Méabh –
> Dia idir sinn agus an anachain!
>
> **I need ~s in Irish.** Tá pulcadh de dhíth orm sa Ghaeilge.

grip

> **Get a ~!** Beir ar do chiall!
>
> **I'm getting to ~s with the biology.**
>
> Táim ag fáil lámh in uachtar ar an bhitheolaíocht.

grist

> Even the money we get on the bottles – it's all ~ for the mill!
>
> Fiú an t-airgead a fhaighimid ar na buidéil – tugann sé sin go léir
> uisce chun ár muilinne.

ground

> **to find the middle ~** an meán a fháil
>
> **He has ~s for suspicion.** Tá bunús aige le aghaidh amhrais.
>
> **He's no ~s for complaint.** Níl cúis gearáin aige.
>
> **What ~s have to say such a thing?**
>
> Cén bunús atá agat lena leithéid a rá?
>
> **It was difficult for us to find any common ~.**
>
> Bhí sé go deacair dúinn bunús caibidle ar bith a aimsiú.
>
> **How are you? – Still above ~!**
>
> Cén chaoi a bhfuil tú? – Nílim sa chré fós!
>
> **That suits me down to the ~!**
>
> Déanfaidh sé sin mo ghnó go hálainn!
>
> *(change of position)* **She's shifting ~.** Tá sí ag malairt a hargóinte.
>
> **to stand one's ~** an fód a sheasamh
>
> **He has both feet firmly on the ~.**
>
> Tá an dá chos go daingean ar (an) talamh aige.

grow

He ~s on you. Téann tú i dtaithí air.

The picture eventually grew on me.

Chuaigh an pictiúr i gcion orm sa deireadh.

grub

~'s up! Tá an bia ar an mbord!

guard

She caught me off ~.

Tháinig sí aniar aduaidh ormsa.

the old ~ na seanfhondúirí

You can't relax with him because he's always on his ~.

Ní féidir leat bheith ar do shuaimhneas leis mar bíonn sé i gcónaí san airdeall ar ionsaí éigin.

guess

~ what?! I'm going to Rome!

Ní chreidfeá choíche é! – táim ag dul chun na Róimhe!

She is still keeping me ~ing.

Táim fágtha san amhras aici fós.

What the result will be is anybody's ~.

Is ag Dia amháin a bhfuil a fhios cén toradh a bheidh air.

I'll give you three ~es! Tabharfaidh mé trí sheans duit!

You've ~ed it! Tá sé ráite agat!

It's pure ~ -work. Níl ann ach tuairimíocht.

I ~ you're right. Is dócha go bhfuil an ceart agat.

guest

Can I look for myself? – Be my ~! An féidir liom féachaint mé féin? – Tá fáilte romhat!/ Féach agus fáilte!

guinea-pig

I don't want to be their ~.

Ní theastaíonn uaimse bheith i mo mhuc ghuine dóibh.

gum

It ~med up the whole works. Bhí gach rud calctha leis.

gun

How are you, you old son-of-a-~?!

Goidé mar atá tú, a sheanchara mo chléibh!

The management took the big ~s out.

Thug an bhainistíocht na ~í móra amach.

He stuck to his ~s. Sheas sé an fód.

gutter

    the ~ **press** nuachtáin lathaí

    ~ **snipe** maistín lathaí

    He was born in the ~. Sa lathach a rugadh é.,
    Ó ghramaisc na sráide a tháinig sé.

H

habit

    to kick the ~
    éirí as an drochnós

    I've got out of the ~.
    Táim éirithe as cleachtadh.

    from force of ~ de bharr cleachtaidh

hair

    That's only splitting ~s.
    Níl ansin ach buail an ceann agus seachain an muineál!

    The ~ of the dog that bit you!
    Leigheas na póite é a ól arís!

    Keep your ~ on! Ná himigh as do chrann cumhachta!

    It made my ~ stand on end.
    Thug sé an ghruaig de mo cheann.

    She was tearing her ~ out from sheer frustration.
    Bhí sí ag gearradh fáinní le teann frustrachais.

    It's a ~ raising tale.
    Scéal é a choimeádfadh ar cheann cipíní thú.

half

    She's too clever by ~! Tá sí i bhfad ró-chliste!

    You certainly don't do things by ~!
    Is cinnte nach barainneach a bhíonn tú!

    my better ~ mo chéile cóir

    I'm ~ afraid you're right.
    Tá cineál eagla orm go bhfuil an ceart agat!

    ~ a loaf is better than none! Is fearr leath ná meath!

    ~ asleep idir codladh agus múscailt

ham

He did it in a ~ -fisted way. Rinne sé go ciotógach é.

hammer

It came under the ~. Cuireadh ceant air.

They ~ed our team.

Bhuail siad dual na droinne ar ár bhfoireann.

She went at it ~ and tongs.

Thosaigh sí air an méid a bhí ina craiceann.

He'll ~ himself into shape before the match.

Cuirfidh sé caoi cheart air féin roimh an chluiche.

I was trying to ~ home to her that she would have to work harder. Bhí mé ag iarraidh é a chur abhaile uirthi go gcaithfeadh sí obair níos crua a dhéanamh.

hand

at first ~ ón fhoinse (féin)

~s off! Ná leag lámh air!

~ up! Lámha in airde!

She won ~s down! Bhuaigh sí gan dua ar bith!

That's a thing I haven't seen for a long time - you with a book in your ~! Sin rud nach bhfaca mé le fada an lá - tusa agus leabhar i ngiorracht scread asail dá chéile!

Could you lend me a ~?

An bhféadfá lámh chúnta a thabhairt dom?

~ to ~ fighting gráscar na lámh

I have everything in ~. Tá gach uile rud faoi smacht agam.

The country's economy has got completely out of ~.

Tá an geilleagar na tíre imithe ó smacht ar fad.

Let us deal with the matter at ~!

Téimis i mbun an scéil atá idir lámha againn!

He came hat in ~ looking for a job.

Tháinig sé a chaipín ina dhorn aige ar lorg oibre.

My ~s are tied. Tá mo lámha ceangailte.

I have to ~ it to you – you had me there for a minute!

Féar plé duit! - bhí mé meallta agat ar feadh nóiméid ansin!

I think I'll try my ~ at swimming.

Ceapaim go mbainfidh mé iarracht as an snámh.

You have your ~s full looking after the children.

Tá do shá ar do chúram agat ag tabhairt aire do na páistí.

I didn't want to do that but you forced my ~.
Níor theastaigh uaim é sin a dhéanamh ach níor
thug tú an dara rogha dom.
He was given a free ~ to do as he wanted with the business.
Tugadh cead an chinn dó a rogha rud a dhéanamh leis an ghnó.
I like to keep my ~ in at the golf.
Is maith liom mo lámh a choimeád isteach sa ghalf.
You have the local shops near at ~.
Tá na siopaí áitiúla faoi (do) láimh agat.
In cases like this, the lawyers have the whip ~.
I gcásanna mar seo bíonn an lámh in uachtar ag na dlíodóirí.

handle
  Sometimes she flies off the ~. Ar uaire éiríonn sí ó thalamh.

handy
  That'll come in ~. Beidh sin áisiúil go leor.,
  Tiocfaidh sé sin isteach úsáideach.

hang
  You'll get the ~ of it after a while.
  Tiocfaidh tú i dtaithí air tar éis tamaill.
  I'll be ~ed if I know! Diabhal a bhfuil a fhios agam!
  ~ it anyway! Pleoid air!
  ~ on a moment! Fan ort go fóill!
  Don't worry about losing the book – It's not a ~ing matter!
  Ná bí buartha gur chaill tú an leabhar - Ní peaca marfach é!
  He's hung up on her. Tá sé splanctha ina diaidh.

happy
  He is very ~-go-lucky.
  Bíonn sé chomh meidhreach le huan óg.
  She's as ~ as a lark.
  Tá sí chomh meidhreach le dreoilín teaspaigh.

hard
  He's as ~ as nails.
  Tá sé chomh crua le cloch.
  between a rock an a ~ place
  idir dhá thine Bhealtaine
  ~ cheese! Nach bocht an scéal é!
  There are no ~ and fast rules.
  Níl aon rialacha daingne ann.

73

hare

>He runs with the ~s and hunts with the hounds.
>
>Is Taghd and dá thaobh é.
>
>**He's as mad as a March ~.**
>
>Tá sé chomh mear le giorria Márta.

hark

>**He keeps ~ing back to the old days.**
>
>Bíonn sé i gcónaí ag teacht ar ais go dtí na seanlaethanta.

harm

>**out of ~'s way** as baol
>
>**There's no ~ in trying.** Níl dochar ar bith féachaint leis.
>
>**What ~ is there in that?** Cár mhiste sin?

harp

>**She's always ~ing on about that.**
>
>Bíonn sí i gcónaí ag seinm ar an téad sin.

hash

>**She has made a complete ~ of everything.**
>
>Bhí gach uile shórt ina chéir bheach aici.

hat

>**at the drop of a hat** lom láithreach
>
>**If you get a pass in maths I'll eat my ~.**
>
>Má fhaigheann tusa pas sa mhata íosfaidh mé mo chaipín féin.
>
>**He's talking through his ~.** Tá sé ag caint trí chúl a chinn.
>
>**Keep that under your ~!** Ná cluineadh clocha na talún é sin!

haul

>**He was ~ed over the coals.** Tugadh cíorláil dó.
>
>**We're in for a long ~ here.**
>
>Beidh sclábhaíocht fhada le déanamh againn anseo.

have

>**the ~s and the ~-nots** lucht a bhfuil acu agus lucht nach bhfuil
>
>**I ~ it!** Tá agam!
>
>**I'm not having any of that!**
>
>Nílim chun cur suas lena leithéid sin!
>
>**You ~ me there!** Sin an áit a bhfuil mé gafa agat!
>
>**You've been had!** Buaileadh bob ort!
>
>**You're having me on!** Tá tú ag magadh fúm!
>
>**Has he got what it takes?** An bhfuil an stuif ceart ann?
>
>**I've something on tonight.** Tá rud éigin ar siúl agam anocht.

havoc

    The drink played ~ with his health.

    Rinne an t-ólachán slad ar fad ar a shláinte.

hawk

    He watched her like a ~.

    Bhí sé ag faire uirthi le súile an tseabhaic.

hay

    Make ~ while the sun shines.

    Buail an t-iarann nuair atá sé te.

    I guess I'll hit the ~.

    Is dócha go rachaidh mé faoi mbraillín.

head

    He's ~ and shoulders above the rest.

    Tá airde a chinn ar an gcuid eile.

    She is ~ over heals in love with him.

    Tá sí sa chiall is aigeantaí aige.

    It's like banging your ~ against a brick wall.

    Is cuimilt mhéire don chloch é.

    He has a good ~ on his shoulders.

    Tá cloigeann maith air.

    He got it into his ~ that she was unfaithful.

    Tháinig sé isteach ina cheann go raibh sí mídhílis.

    I can't get it into his ~. Ní féidir liom é a chur ina luí air.

    The strike brought matters to a ~.

    Thug an stailc an scéal chun ainchinn.

    She has a good ~ for maths.

    Tá ceann maith uirthi le haghaidh an mhata.

    Are you off your ~? An bhfuil tú as do mheabhair?

    He hung his ~ when the team lost the match.

    Bhuail sé a cheann faoi nuair a chaill an fhoireann an cluiche.

    Two ~s are better than one.

    Is fearr dhá chloigeann ná ceann.

    The wealth went to his ~.

    Chuaigh an saibhreas ina cheann dó.

    She has her ~ in the clouds. Bíonn a ceann sa spéir aici.

    ~s or tails?

    Aghaidh nó droim?

    It all goes over my ~. Ní thuigim bun ná barr de.

health

> **Let us drink to the ~ of the newly weds!**
>
> Ólaimis sláinte na lánúine nuaphósta!

hear

> **Go out in this rain! – I will not ~ of it!**
>
> Dul amach faoin bháisteach seo! – Ní ligfinn a leithéid!
>
> **I ~ tell that he's a famous writer in France.**
>
> Chuala mé iomrá gur scríbhneoir iomráiteach san Fhrainc é.
>
> **That's only ~ -say.** Níl ansin ach scéal scéil.

heart

> **You're a man after my own ~.**
>
> Is fear de mo dhóigh féin thú!
>
> **You put the ~ across me.**
>
> Chuir tú mo chroí amach thar mo bhéal agam!
>
> **Her ~ is in the right place.**
>
> Tá a croí san áit cheart.
>
> **I couldn't find it in my ~ to do it.**
>
> Ní ligfeadh mo chroí dom é a dhéanamh.
>
> **She put her whole ~ into the work.**
>
> Bhí a croí sáite san obair.
>
> **She was singing her ~ out.**
>
> Bhí sí ag cur a croí amach ag canadh.
>
> **My ~ was in my boots.** Bhí eagla m'anama orm.
>
> **He has his ~ set on going to Madrid.**
>
> Níl faoi ná thairis ach dul go dtí Maidrid.
>
> **He must have a ~ of stone.**
>
> Ní mór ach go bhfuil a chroí chomh crua le cloch ghlas aige.
>
> **My ~ goes out to those poor people.**
>
> Téann mo chroí amach go dtí na daoine bochta sin.
>
> **Don't wear your ~ on your sleeve.**
>
> Ná bíodh rún do chroí ar do bhois agat.
>
> **My ~ isn't in the work.**
>
> Níl mo chroí san obair.
>
> **to learn a poem by ~**
>
> dán a fhoghlaim de ghlanmheabhair
>
> **I had a ~ to ~ chat with him.** Bhí comhrá ó chroí agam leis.
>
> **in my ~ of ~s** i mo chroí istigh
>
> **with all my ~** ó mo chroí amach

heat

    I said it in the ~ of the moment.
    Dúirt mé é agus mé tógtha.
    **They began turn the ~ on to get the information
    from him.** Thosaigh siad ag cur brú air chun go
    bhfaighidís an t-eolas uaidh.

heaven

    for ~'s sake ar son Dé
    In ~'s name where were you? Faoin spéir cá raibh tú?
    ~ only knows! Ag Dia amháin (atá) a fhios!
    She praised him to the ~s. Mhol sí go rothaí na gréine é.
    Then the ~s opened and we were soaked. Thosaigh sé
    ag stealladh báistí ansin agus bhíomar fliuch báite.
    It was ~ on earth! Flaitheas ar an saol seo ea ba é!
    He's gone, thank ~s! Tá sé imithe, buíochas le Dia!

heavy

    I find 'The Islandman' ~ going.
    Is crua liom 'An tOileánach' a léamh.
    They treated the prisoners in ~ -handed manner.
    D'imir siad an lámh láidir ar na príosúnaigh.
    **Have you not finished the book yet? – You are certainly
    making ~ weather of it!** Nach bhfuil an leabhar críochnaithe
    agat fós? – Nach tusa atá ag treabhadh na dtonn leis!

hedge

    He ~d his bets. Rinne sé beartú roimh a bhféadfaí tarlú.
    **You look like someone who has been dragged through
    a ~ backwards.**
    Tá tú cosúil le bacach sraoillte sa lathach.

heel

    His arrogance was his Achilles' ~.
    Ba é a shotal an laige chinniúnach a faoi deara a threascairt.
    They took to their ~s. Bhuail siad na boinn as an áit.
    The sheriff was on the ~s of the outlaws.
    Bhí an sirriam sna sála ag na heisreachtaithe.

height

    It was the ~ of folly to do such a thing.
    Ba é corp na hamaidí é a leithéid a dhéanamh.
    at the ~ of his career in airde a réime

hell

When he arrived all ~ broke loose. Nuair a tháinig
seisean is ansin a bhí ceann scaoilte le diabhail ifrinn.

~ hath no fury like a woman scorned.
Is measa bean thréigthe ná an diabhal é féin.

What the ~ do I care?! Nach cuma sa diabhal liomsa?!

We had a ~ of good time in Crete.
Ba dhamanta maith an tamall é a chaitheamar sa Chréit.

She's totally ~ bent on climbing the Rocky Mountains.
Níl ach an t-aon rún (damanta) daingean amháin aici - na
Sléibhte Carraigeacha a dhreapadh.

He went ~ for leather off down the road. D'imigh sé
leis síos an bóthar mar a bheadh an chaor thine ann.

You haven't a snowball's chance in ~ in doing that.
Níl seans faoin spéir agat é a dhéanamh., B'fhurasta duitse
fuil a bhaint as tornapa ná é sin a dhéanamh.

~, I don't know! A dhiabhail, níl a fhios agamsa.

My tooth is giving me ~. Táim i bpianta ifrinn leis an fhiacail seo.

He shaved his head just for the ~ of it.
Bhearr sé gruaig a chinn le teann díobhlaíochta amháin.

It was ~ish hot in Cyprus.
Bhí sé chomh te le hifreann sa Chipir.

till ~ freezes over go dtitfidh ballaí ifrinn

helm

with a new headmaster at the ~ of the school
le fear nua stiúrach mar ardmháistir ar an scoil

help

You're a great ~ to me!
Nach breá an cúnamh dom tusa bheith agamsa!

I can't ~ it! Níl neart agam air!

~ yourself! Tarraing ort!

hen-pecked

~ husband fear atá faoi shlat ag a bhean

here

~ and there anseo is ansiúd

in the ~ after an saol atá le teacht

That's neither ~ nor there!
Níl aon bhaint aige sin leis an scéal!

herring

That is a red ~.

Is scéal thairis é sin.

high

You're for the ~ jump! Tá tusa faoina chomhair!

Why are you've gotten so very ~ and mighty?!

Cén fáth go bhfuil an éirí in airde dulta in ainchinn ionatsa?!

He was as ~ as a kite on E. Bhí sé as a cheann ar fad ar E.

~ brow literature litríocht do lucht an ardléinn

He is ~ly rated. Tá ardmheas ag an phobal air.

He's a ~ flyer in the money market.

Is sárionramhálaí sa mhargadh airgid é.

This was the ~ spot of his career/ of the match, etc...

Ba é seo buaic a réime/ an chluiche, etc...

It's ~ time he got down to doing his work!

Is fada an lá gur mithid dó dul i mbun a chuid oibre!

She got up on her ~ horse.

Bhuail tallann mórtais í.

I searched ~ and low for it.

Chuardaigh mé dóigh agus andóigh ar a thóir.

Feelings were running ~. Bhí daoine ag éirí tógtha.

~lights of the match codanna suntais den chluiche

It was a ~ price he had to pay for the action he took.

Ba mhór an praghas a bhí le híoc aige as an ghníomh
a rinne sé.

That band is ~ly overrated.

Tugtar an iomarca tábhachta don bhanna sin.

hill

He's as old as the ~s. Tá sé chomh sean leis an gceo.

She's well over the ~ now.

Tá blianta a maitheasa imithe le fada.

He's going down ~ rapidly.

Tá sé ag meath go tapa.

hint

Can't you take a ~! Nach leor duit leid?!

hip

It's the ~ thing to do.

Is é an rud faiseanta a leithéid a dhéanamh.

hit

>She was ~ting on him. Bhí sí ag iarraidh é a mhealladh.
>
>They really ~ it off well together.
>
>D'éirigh siad an-mhór lena chéile.
>
>I think you've ~ upon something there.
>
>Táim ag ceapadh gur leag tú do mhéar ar rud éigin ansin.
>
>It was kind of ~-or-miss.
>
>Ceapaim gurbh urchar an daill a bhí ann.

hive

>The school hall was a ~ of activity.
>
>Bhí trangláil daoine i mbun gnó i halla na scoile.

hog

>Don't ~ the chocolates! Ná bí i do chraosaire leis na seacláidí!
>
>You bought the dress – go the whole ~ and buy shoes too!
>
>Cheannaigh tú an gúna - téigh go bun an angair leis an scéal
>agus ceannaigh na bróga freisin.

hoist

>The manager introduced clamping to the car park but
>one day he found his own car clamped. He was ~ed
>by his own petard. Thug an bainisteoir an chlampáil
>isteach san ionad parcála ach lá amháin fuair sé a charr
>féin clampáilte. Ba é an tslat a bhain sé féin a bhuail é.

hold

>~ on a moment!/ *(phone)* ~ the line! Fan ort go fóill!
>
>She has some kind of ~ over him.
>
>Tá ceangal éigin aici air.
>
>~ your head high! Bí go ceann-ard!
>
>His argument doesn't hold (water). Ní sheasann a argóint.
>
>There'll be no ~ing him now!
>
>Ní bheidh cosc le cur air anois!
>
>He held his own against them all.
>
>Bhain sé a cheart féin den iomlán acu.
>
>~ your tongue! Cuir srian ar do theanga!
>
>While my wife's away, I have to ~ the fort. Fad is bhíonn
>mo bhean as baile, bíonn ormsa seasamh sa bhearna.

hole

>He knocked ~s in my argument.
>
>Bhain sé na cosa de m'argóint.

holy

> **There'll be ~ war when she finds out.**
> Beidh cogadh dearg ann nuair a gheobhaidh sí amach.
> **I hate her holier-than-thou carry on.**
> Is fuath liom a cuid béalchráifeachta.
> **The ~ of Holies** Naofacht na Naofachta
> **By all that is ~!** Dar a bhfuil ar neamh!

home

> **It's a ~ from ~.** Is baile as baile dom é.
> **Let's take an example nearer ~.**
> Tógaimis sampla a bhaineann níos gaire dár saol féin.
> **There's no place like ~!**
> Níl aon tinteán mar do thinteán féin!
> **He needs to be told a few ~ truths.**
> Ba chóir go dtabharfaí fios a thréithe féin dó!
> **I can't get it ~ to him that he has to do a little work as well.** Ní féidir liom é a chur abhaile air go gcaithfidh seisean beagán oibre a dhéanamh chomh maith.
> **Make yourself at ~!** Déan do chuid féin den teach!
> **The lights are on but there's no one at ~.**
> (BAC) Tá na soilse ar lasadh ach ní éinne sa bhaile.
> **It's nothing to write ~ about.**
> Níl sé thar mholadh beirte!

honest

> **as ~ as the day is long** chomh cneasta le sagart
> **That is the ~ truth!** Sin í an fhírinne ghlan!
> **~ly speaking** leis an fhírinne a rá, déanta na fírinne
> **Well ~ly!** Bheul, i ndáiríre!

honour

> **Let me do the ~s!** Lig domsa riar ar an aíonna!
> **I give you my word of ~.** Tugaim m'fhocal duit.

hook

> **by ~ or by crook** ar ais nó ar éigean
> **He swallowed it ~, line and sinker.** Shlog sé fiú gan chogaint é.
> **Her evidence got him off the ~.** Shaor a fianaise ó chúiseamh é.

hoot

> **Isn't he a ~!** Nach é an chúis gháire é!
> **I couldn't give a ~!** Is cuma sa tiuc liom!

hop

~ **it!** Tóg ort!

He was ~ping mad. Bhí sé ag imeacht le báiní.,
Bhí sé ag gearradh fáinní le teann feirge.

You caught me on the ~! Fuair tú mé in antráth.

hope

We must ~ against ~.
Caithfimid ár ndóchas a choinneáil.

I pinned my ~s on winning that match.
Chuir mé mo dhóchas i mbuachan an chluiche sin.

You are my last ~! Ionatsa atá mo dhóchas deireanach!

I don't want to raise your ~s in vain.
Ní theastaíonn uaim dóchas bréagach a thabhairt duit.

My ~s are high. Tá ard-dóchas agam.

I ~ so. Tá súil agam.

I ~ so too! Sin é mo dhóchas freisin!

horn

~ **of plenty** corn na flúirse

horse

You can't change ~s midstream.
Ní bhaintear an diallait i lár an rása.

He's a dark ~ that one! Is dorcha an mac é siúd!

You're flogging a dead ~. Tá tú ag marú madra marbh.

That's a ~ of a different colour. Sin scéal eile ar fad.

Stop your ~ play! Éirígí as bhur rancás!

~ **s for courses!** Iascaire don naomhóg, sagart don naomh!

Hold your ~s! Tóg go bog é anois! Lig fútsa!

straight from the ~'s mouth ó bhéal an duine féin

I could eat a ~. Táim stiúgtha leis an ocras.

It's locking the stable door after the ~ has bolted.
Is é fál an ghort é i ndiaidh na foghla.

He's on his high ~ again. Bhuail tallann mórtais arís é.

hot

It's only a lot of ~ air. Níl ansin ach baothchaint.

It's a ~ bed of corruption. Is ceárta an oilc é.

(in game) **You're getting ~ter!** Tá tú ag téamh!

He is a ~ -head. Is duine teasaí meargánta é.

The story is too ~ to handle. Tá an scéal ró-íogair ar fad.

hour

>**at all ~s** go moch is go mall
>
>**at the eleventh ~** ag an nóiméad deireanach
>
>**in the small ~s of the morning** i ndeireadh na hoíche
>
>**the rush ~s** na tráthanna brúite

house

>**Your investment is as safe as ~s.** Tá d'infheistíocht chomh siúráilte le héirí na gréine amárach
>
>**The new comedy brought the ~ down.** Chuir an coiméide nua an lucht éisteachta sna trithí ag gáire.
>
>**The tickets are selling like a ~ on fire.** Tá na ticéid lasta.
>
>**We getting on like a ~ on fire.** Táimid ag éirí lena chéile thar cionn.
>
>**Drinks on the ~!** Cur deochanna don chuideachta ar an teach!

how

>**~ are you?** Conas tá tú?, Cén chaoi a bhfuil tú?, Goidé mar atá tú?
>
>**~ come?** Conas sin?
>
>**~ would I know?** Cá bhfios domsa?
>
>**~ much?** Cé mhéad?
>
>**~ long are you here?** Cá fhad anseo thú?
>
>**~ wide?** Cén leithead?
>
>**~ often?** Cá mhinic?
>
>**~ old are you?** Cén aois thú?
>
>**~ nice of you!** Nach deas uait é!
>
>**~ about a drink?** Cad a déarfá le deoch?
>
>**Would you like to go to the match? – And ~!** Ar mhaith leat dul go dtí an cluiche! - Abair sin (arís)!
>
>**Here's a pretty ~ -d'you –do!** Anois tá an tine ar an sop!

huff

>**He went off in a ~.** D'imigh sé leis agus stuaic air.

hum

>**Make up your mind and stop ~ming and hawing!** Tar ar chomhairle éigin agus cuir uait an stagarnaíl!
>
>**Business is starting to ~.** Tá beocht ag teacht ar chúrsaí gnó.

human

   She is the milk of ~ kindness.

   Foinse gach uile chineáltais í.

   It is not ~ly possible.

   Níl sé i gcumhacht an duine é a dhéanamh.

humble

   He had to eat ~ pie.

   Bhí air a chuid cainte a tharraingt siar go humhal.

hunting

   We went house ~. Chuamar ar lorg tí.

   bargain ~ cuardach saorála

hurry

   There's no ~. Níl deifir leis.

   What's your ~? Cá bhfuil do dheifir?

   I tell you I won't do that again in a ~!

   Mise duitse, is fada go deo sula ndéanfaidh mé sin arís!

hush

   ~! Fuist!

   It's all terribly ~ ~. Is rún daingean ar fad é.

   He was given ~ money.

   Tugadh breab dó le fanacht ciúin.

I

ice

   to break the ~ at a party

   leac an doichill a bhriseadh ag cóisir

   That cuts no ~ with me.

   Ní bhíonn aird ar bith agamsa ar rudaí mar sin.

   You're on thin ~ there. Tá tú ag rith ar thanaí ansin.

   We got an ~ cold reception.

   Cuireadh fuarfháilte dhoicheallach romhainn.

ill

   ~ -gotten gains

   saibhreas a cruinníodh ar dhroim an diabhail

illusion

You are under an ~ if you think drugs will help you. Tá
dallach dubh ort má cheapann tú go gcabhróidh drugaí leat.

I have no ~s about that. Níl seachrán ar bith orm faoi sin.

imagination

It is merely a figment of her ~.
Á fheiceáil di féin atá sí.

imagine

~ meeting you here! Ní féidir gur casadh anseo thú!

~ that! Féach air sin anois!

immemorial

from time ~ ó thús an tsaoil

impression

I was under the ~ that you were leaving.
Is é an tuiscint a bhí agamsa ná go raibh tú ag imeacht.

The book made a great ~ on me.
Chuaigh an leabhar go mór i bhfeidhm orm.

She made a good ~ on me. Rinne sí imprisean maith orm.

in

the ~s and outs of the matter fios fátha an scéil

She is ~ on it.

(a: part of it) Tá sise ina cuid de.,

(b: knows the secret) Tá eolas an scéil aici

~ for a penny, ~ for a pound!
Ó loisc tú an choinneal, loisc an t-orlach!

He's well ~ with this new government.
Tá lámh istigh aige leis an rialtas nua seo.

~ my opinion de réir mo bharúla/ mo thuairime

You're ~ for it now! Tá tú faoina chomhair anois!

inch

~ by ~ ina chodanna beaga

I'll not give an ~! Ionga ná orlach ní rachaidh mé!

Give him an ~ and he'll take a mile!
Nuair a théann gabhar go dtí an teampall ní stadann
sé go haltóir.

Indian

Let's get an ~ take-away! Faighimis béile amach Indiach!

~ summer samhradh na ngéanna

innings

> He has had a good ~.
>
> Is fada an réim a thug sé leis.

inside

> I know this building ~ out. Tá gach poll agus prochóg den fhoirgneamh seo ar eolas agam.
>
> He knows the history course ~ out.
>
> Tá an cúrsa staire ar bharr a mhéar aige.
>
> ~r trading trádáil taobh istigh

instance

> in the first ~ sa chéad dul síos

insult

> to add ~ to injury
>
> chun an tarcaisne a chur i gceann na héagóra

intents

> To all ~ and purposes it is finished.
>
> Tá sé ionann agus críochnaithe.

interest

> It would be in your own ~ to come to the extra classes. Chun do thairbhe féin a rachadh sé dá dtiocfá chun na ranganna breise.

iron

> He has an ~ constitution. Tá téagar capaill ann.
>
> She has an ~ will.
>
> Tá sí chomh daingean ina hintinn féin le cnoc.
>
> He had too many ~s in the fire.
>
> Bhí barraíocht idir lámha aige.
>
> to ~ out difficulties deacrachtaí a smúdáil (amach)
>
> She rules her children with a rod of ~.
>
> Is beag nach bhfuil na páistí á gcoinneáil ar slabhra aici.
>
> You should strike while the ~ is hot.
>
> Ba chóir an t-iarann a bhualadh nuair atá sé te.

issue

> That's not what's at ~ here.
>
> Ní hé sin (an rud) atá i gceist anseo.
>
> the point of ~ ábhar na cúise
>
> Don't make an ~ out of it! Ná déan fadhb mhór de!
>
> I took ~ with him over it. Chuaigh mé i ngleic leis faoi.

itch

> the seven year ~ tochas na seacht mbliana
> I was ~ing to do it. Bhíos ar gor lena dhéanamh.

itchy

> He has ~ feet. Is cos ar siúl é.

ivory

> He lives in an ~ tower. Tá saol an mhadra bháin aige.

J

Jack

> Every man ~ of them!
> An t-iomlán dearg acu!, Gach mac máthar díobh!
> He's a ~ of all trades and master of none!
> Is gobán é ach ní hé an Gobán Saor!
> Before you can say ~ Robinson!
> Sula mbeadh 'Dia le m'anam' ráite agat!
> I ~ed it in. *(BAC)* Chaith mé an tuáille isteach.

jam

> I'm in a ~. Táim i sáinn.
> traffic ~ plódú tráchta
> There'll be a ~ up in the hall tonight.
> Beidh seisiún ceoil thuas sa halla anocht.

jet

> the ~ set lucht taistealach

job

> He gave it up for a bad ~.
> Chaith sé a chloch is a ord leis.
> It is a good ~ you were there.
> Is mór an gar go raibh tú ann.
> I had a ~ trying to convince him.
> Bhí obair agam é a chur ina luí air.
> to make the best of a bad ~
> an chuma is fearr a chur ar dhrochghnó

join

> ~ **the club!** Nach ionann an cás domsa freisin!
> **Will you ~ us?** An mbeidh tú linn?
> **He ~ed up.** Liostáil sé (san arm).

joke

> **This has gone beyond a ~.** Tá seo dulta thar ghreann.,
> Ní rud greannmhar é seo a thuilleadh!
> **You're joking!** Ag magadh atá tú!
> **I'm not joking!** Ní ag magadh atáim!
> **It's no ~!** Ní rud greannmhar é!
> **The ~'s on him now!**
> Eisean atá ina cheap magaidh anois!
> **Joking aside!** An magadh ar leataobh!,
> Leis an ghreann a fhágáil inár ndiaidh!
> **I did it for a ~.** Rinne mé ar son grinn é.
> **The ~ is he still doesn't know.** An chuid is greannmhaire
> den scéal – níl a fhios aige fós!
> **You must have your little ~!**
> Ní féidir leat gan d'ábhairín beag grinn bheith agat!

jolly

> **I was ~ glad you were there.**
> Nach orm a bhí an t-áthas go raibh tú ann.
> **He was trying to ~ everyone along.** Bhí sé ag iarraidh
> ardú meanman a thabhairt dá raibh i láthair.

joy

> **I was jumping for ~!** Bhí mé ag damhsa le háthas.
> **He is their pride and ~.** Is é a n-úillín óir é.

judge

> ~ **for yourself!** Ar do bhreithiúnas-sa atá sé!
> **judging by appearances** de réir dealraimh

judgement

> **I don't want to sit in ~ over them.**
> Ní theastaíonn uaim bheith ag tabhairt breithe orthu.

juice

> **He can stew in his own ~!**
> Bíodh cion a dhearmaid air anois!
> **She brought it on herself – she can stew in her own ~!**
> Tharraing sí uirthi féin é – íocadh sí olc agus iaróg anois!

jump

> ~ **to it!** Go mear máirseáil!
>
> **She nearly ~ed out of her skin with the fright.**
> Is beag nár léim sí amach as a craiceann leis an eagla.,
> Is beag nár thit an t-anam aisti le teann eagla.
>
> **My heart ~ed for joy.** Léim mo chroí le lúcháir.
>
> **He ~ed the queue.** Bhris sé isteach go barr na scuaine.
>
> **You're ~ing the gun here!**
> Ná maraigh an fia go bhfeice tú é!

jungle

> **concrete ~** dufair choincréiteach
>
> **The only law that criminals recognize is the law
> of the ~.** Ainriail is ea an t-aon riail a thuigeann coirpigh.

just

> **He got his ~ deserts.**
> *(positive deserts)* Fuair sé a raibh ag dul dó mar ba chóir.
> *(negative deserts)* Fuair sé a raibh ag dul dó go dóite.
>
> **~ so!** Go díreach glan!
>
> **Do you remember him? – Don't I ~!**
> An cuimhin leat é? – Is liom is cuimhin!
>
> **It's ~ the same.** Is ionann an cás é.

justice

> **poetic ~** fíorcheart
>
> **Well, you certainly did ~ to that meal!**
> Bheul, rinne tú do cheart don bhéile sin!

K

keen

> **as ~ as mustard** chomh díbhirceach le beach
>
> **She has a ~ eye for a good bargain.**
> Tá súil ghrinn aici le haghaidh margaidh mhaith.
>
> **I'm not ~ on it.** Níl dúil agam ann.

keep

> Did you give it to him for ~s?
> Ar thug tú dó é le coinneáil?
> ~ **your hands off!** Ná leag lámh air!
> ~ **an eye on the bags!** Coinnigh súil ar na málaí!
> **Don't let me ~ you!** Ná cuirimse moill ort!
> **She always ~s on at him about his drinking.**
> Bíonn sí de shíor ag gabháil dó faoina chuid ólacháin.
> ~ **it to yourself!** Buail fiacail air!
> **He ~s in with the new headmaster.**
> Bíonn sé ag fosaíocht leis an ardmháistir nua.
> ~ **it up!** Coinnigh leis!
> **We must ~ up appearances!**
> Caithfimid taobh na honóra a choinneáil amach!
> ~**ing up with Joneses**
> ag iarraidh cos a choinneáil leis na comharsana

ken

> **Such things are beyond my ~.**
> Bíonn rudaí mar iad thar m'eolas.

kettle

> **The pot calling the ~ black!**
> An pota ag aor ar an gciteal!
> **Here's a pretty ~ of fish!**
> Anois tá an brachán déanta.
> **That's a completely different ~ of fish.**
> Sin scéal eile ar fad., Cuireann sin dreach eile ar an scéal.

key

> **The crowd was ~ed up before the match.**
> Bhí díbhirce ar an slua roimh an chluiche.

kick

> **They did it for ~s.**
> Ar mhaithe le spórt a rinne siad é.
> **For a ~ off he forgot the keys!**
> Ar an gcéad dul síos, rinne sé dearmad ar na heochracha!
> **I could have ~ed myself when I heard the answer.** Bhíos
> ag ithe na méar díom féin nuair a chuala mé an freagra.
> **He ~ed the bucket.** Smiog sé.

kid

> **Who are you ~ding?!** Ní leanbh ó aréir mé!
>
> **to handle a person with ~ gloves**
> duine a ionramháil go cáiréiseach
>
> **You're ~ding?!** Ag magadh atá tú?!

kill

> **I could ~ (for) a beer!**
> Thabharfainn m'anam don diabhal ar son beorach!
>
> **She was dressed to ~.** Bhainfeadh na héadaí a bhí
> uirthi an t-amharc as an tsúil agat!
>
> **We have time to ~.** Tá am le meilt againn.
>
> **I nearly ~ed myself laughing when I heard that.**
> Ba bheag nár mharaigh mé mé féin leis an gháire
> nuair a chuala mé é sin.
>
> **to ~ two birds with the one stone**
> an dá chúram a dhéanamh in éineacht
>
> **With the help of the government O'Leary made a ~ing.**
> Le cabhair ón rialtas bhí lá fómhair ag Ó Laoghaire.

kin

> **to inform his next of ~**
> an scéal a chur chuig a mhuintir
>
> **our kith and ~** ár gcairde gaoil

kind

> **She paid him back in ~.**
> Thug sí tomhas a láimhe féin dó.
>
> **I said nothing of the ~.** Ní dúirt mé sin ná a chosúlacht.
>
> **I don't take ~ly to people calling me names.**
> Ní ró-shásta a bhím nuair a chuirtear as m'ainm mé.
>
> **They're two of a ~!** Aithníonn ciaróg ciaróg eile!

kingdom

> **When it exploded the house was blown to ~ come.**
> Nuair a phléasc sé, rinneadh smidiríní den teach ar fad.
>
> **The bomb blew anyone on the street to ~ come.**
> Chuir an buama éinne ar an tsráid chun an tsaoil úd eile.
>
> **A horse, a horse, my ~ for a horse!** Capall, capall amháin,
> thabharfainn mo ríocht ar son aon chapaill amháin!

kip

    I didn't get much ~ last night.
    Níor chodail mé aon néal aréir.
    That place is such a ~!
    Is bothóg cheart an áit sin!

kiss

    A letter of recommendation from her would be
    the ~ of death. Póg an bháis litir mholta uaithi siúd!,
    Creill bháis do dhuine aon litir mholta uaithise.
    You can ~ goodbye to your new car.
    Is féidir leat slán a rá le do charr nua.

kite

    Go fly a ~! Imigh leat agus ná bí faoi mo chosa anseo!
    She was as ~ a kite. Bhí sí as a ceann ar na drugaí.

kitten

    She will have ~s when she finds out.
    Beidh sí thairsti féin nuair gheobhaidh sí amach.

knickers

    Don't get your ~s in a twist!
    Ná déan trillín de thriblid!

knife

    He has his ~ in me.
    Tá nimh san fheoil aige dom.
    ~ in the back buille fill

knock

    ~, ~ who's there? Cnag, cnag, cé tá ansin?
    It's like ~ing your head against a brick wall.
    Is é cuimilt mhéire don chloch é.
    to ~ off work scor den obair
    He ~ed that one on the head.
    Thug sé íde báis don cheann sin.
    (drink) **He was ~ing them back.**
    Bhí sé ag taoscadh siar.
    ~ it off! You've been criticizing her all day.
    Éirigh as! Bhí tú á cáineadh an lá ar fad.
    They ~ed the living daylights out of him.
    Bhuail siad dual na droinne air.
    to ~ the stuffing out of him an gus a bhaint as

knot

>Get ~ted! Breast thú!

>**She got tied up in ~s trying to explain it.** Chuaigh sí i bhfostú na bhfocal agus í ag iarraidh é a mhíniú.

>*(get married)* **They decided to tie the ~.**
Shocraigh siad ar an tsnaidhm a cheangal eatarthu féin.

know

>**as far as I ~** ar feadh a bhfuil a fhios agam

>**for all I ~** go bhfios domsa

>**He ~s his own mind.** Tá fios a aigne féin aige.

>**He ~s what he's at.** Tá fios a ghnó aige.

>**Don't I ~ it!** Nach agam atá a fhios!

>**You ought to ~ better at your age!** Ba chóir go mbeadh a athrach de chiall agat san aois ina bhfuil tú!

>**Before you ~ where you are you'll find yourself up to you ears in debt.** Sula bhfuil a fhios agat beidh tú báite i bhfiacha ar fad.

>**He ~s the score!** Tuigeann seisean faoi mar atá an scéal!

>**She ~s what's what when it comes to computers.** Níl aon néal uirthi maidir le ríomhairí.

>**I'll spend my first day at the new job with Úna as she ~s the ropes.** Caithfidh mé an chéad lá ag an jab nua le hÚna mar tá seantaithí aici siúd ar an obair.

>**There's no ~ing what he'd do if he found out.** Ní bheadh a fhios agat cad a dhéanfadh sé dá bhfaigheadh sé amach.

>**He ~s the chemistry inside out.**
Tá an cheimic ar bharr a mhéar aige.

knowledge

>**It is a matter of common ~ that he is leaving.**
Is eol do chách go bhfuil sé ag imeacht.

>**without my ~** gan 'fhios dom

knuckle

>**You'll have to ~ down to some work now!**
Caithfidh tú luí isteach ar an obair anois!

>**It was a rap on the ~s for him.** Ba rabhadh dó é.

>**That was a bit near the ~.**
Bhí sin saghas i ngaireacht don chnámh.

L

labour

It was a ~ **of love.** Ba shaothar é a raibh taitneamh ann.

lady

Ladies and gentlemen! A dhaoine uaisle!

She is a real ~! Is bean uasal go barr na méar í!

He's a ladies' man. Is fear mór i measc na mban é.

He's a ~ -killer! Is cliúsaí ban é.

lamb

as gentle as a ~ chomh mín mánla le haingeal

like a ~ to the slaughter amhail uan chun an áir

land

~ of milk and honey tír faoi mhil agus faoi bhláth

She is in the ~ of nod. Tá sí ar mhargadh na holla.

The Promised ~ An Tír Tairngire

The Holy ~ An Tír Bheannaithe

The ~ of Eternal Youth Tír na nÓg

That will ~ you up in hospital!
Tamall san ospidéal a bheidh agat dá bharr sin!

I'll wait and see how the ~ lies.
Fanfaidh mé go bhfeicfidh mé conas mar atá an scéal.

language

to use bad ~ droch-chaint a úsáid

Mind your ~! Cuir uait an gháirsiúlacht!

There's a lot of strong ~ in the play.
Tá cuid mhaith den chaint láidir sa dráma.

lap

He's living in the ~ of luxury. Tá saol na bhfuíoll aige.

It's in the ~ of the gods. Faoi Dhia amháin atá sé!

large

as ~ as life ina steillbheatha

prisoner at ~ príosúnach gan breith air

on a ~ scale ar an mórchóir

lark

as happy as a ~ chomh meidhreach le dreoilín teaspaigh

to get up with the ~ éirí le giolc an ghealbhain

She did it for a ~. Rinne sí ar son spóirt é.

Stop ~ing about! Cuir uait an áilteoireacht!

lash

We decided to ~ out on a new car. Shocraíomar ar
an airgead a chaitheamh go rábach ar charr nua.

The teacher's in a foul mood – he's ~ing out at everyone.
Tá stodam ar an mhúinteoir – tá gach duine faoi ionsaí aige.

We've ~ings of time. Tá greadadh ama againn.

They have ~ings of money. Tá siad ar maos le hairgead.

last

as a ~ resort mar bheart in am na héigne

He would always try to have the ~ word.
Bheadh sé ag iarraidh i gcónaí an focal scoir a bheith aige.

It's the ~ word in computers.
Is é an focal deireanach i ríomhairí é.

at long ~ faoi dheireadh thiar thall

If it comes to punctuality, she is the ~ person to talk.
Más poncúlacht atá i gceist, níl de cheart aici siúd bheith
ag caint.

I'm afraid the washing machine is on its ~ legs.
Is eagal liom go bhfuil an meaisín níocháin i ndeireadh
na feide.

late

Better ~ than never! Is fearr mall ná go brách!

It's a bit ~ in the day to be changing your mind.
Tá sé pas beag déanach sa lá chun teacht ar athrach intinne.

He'd be ~ for his own funeral.
Bheadh seisean déanach dá shochraid féin.

by Monday at the ~st Dé Luain ar a dhéanaí

What is the ~est? Cad é an scéal is déanaí?

She is very tired of ~. Bíonn sí go han-tuirseach le déanaí.

my ~ grandfather mo sheanathair, trócaire ar a anam

sooner or ~r luath nó mall

I'll see you ~r! Feicfidh mé níos déanaí thú!

laugh

    I don't want to be a ~ing stock.
    Ní theastaíonn uaim bheith i mo cheap mhagaidh.
    She had the last ~. Ise a bhí ag gáire sa deireadh thiar thall.
    I'll be ~ing up my sleeve. Beidh mé ag gáire faoi choim.
    I'll make him ~ on the other side of his face.
    Bainfidh mise an magadh dá aghaidh!
    It's nothing to ~ about! Ní cúis gháire ar bith é!
    She ~ed it off. Rinne sí scéal grinn de.

laurels

    He's resting on his ~. Ceapann sé ó tá cáil an mhochóirí
    air gur féidir leis codladh go headra.

law

    the long arm of the ~ lámh fhada an dlí
    He loves to lay the ~ down.
    Is breá leis bheith ag déanamh dlí.
    He's a ~ unto himself. Níl riail ná dlí air., Tá a dhlí féin aige.
    She took the ~ into her own hands.
    Thug sí neamhaird ar fad ar an bpróiseas dlí.
    No one is above the ~. Níl éinne os cionn an dlí.
    I'll have the ~ on you! Cuirfidh mé an dlí ort!
    She does everything to the letter of the ~.
    Déanann sí gach rud de réir fuarlitreach an dlí.

lay

    They laid down their lives for the freedom of their
    country. Thug siad suas a mbeatha ar son shaoirse
    a dtíre féin.
    He is laid up at the moment.
    Tá sé ina leaba ar fhleasc an dhroma faoi láthair.
    They fairly laid into him. Thug siad léasadh maith dó.

leaf

    Take a ~ out of Adam's book! Lean sampla Adam!
    She promised to turn over a new ~.
    Gheall sí saol níos fearr a chleachtadh.

league

    He's not in the same ~ as you. Níl aon ghoir aige ort.
    in ~ with the Devil i bpáirt leis an diabhal

leak

> to ~ the story to the press
>
> an scéal a sceitheadh don phreas

lean

> They ~ed on him. Chuir siad brú air.

leap

> She's coming along in ~s and bounds.
>
> Tá sí ag teacht ar aghaidh i mbarr na bhfáscaí.,
>
> Tá sí ag teacht chun cinn de léimeanna móra
>
> ~ in the dark léim chaorach sa duibheagán

lease

> The birth of the baby gave me a new ~ of life.
>
> Thug breith an leanbáin beatha nua dom.

least

> That is the least of my worries.
>
> Sin an chloch is lú ar mo phaidrín.,
>
> Sin an dual is faide siar ar mo choigeal.
>
> at the very ~ ar an mhéid is lú
>
> It's the ~ you could do! Is é is lú is gann duit!
>
> I'm not in the ~ afraid. Níl eagla dá laghad ormsa.
>
> You could at ~ apologize!
>
> D'fhéadfá, ar a laghad, do leithscéal a ghabháil.
>
> He's not too sociable to say the very ~!
>
> Níl sé ró-chuideachtúil agus gan ach é sin a rá!
>
> ~ said soonest mended! Is binn béal ina thost!

leave

> without so much as by your ~
>
> gan fiú 'le do chead' a rá
>
> She was left in the lurch. Fágadh san abar í.
>
> ~ of absence cead scoir
>
> to take French ~ imeacht gan chead gan cheiliúradh
>
> Take it or ~ it! Tóg nó fág é!
>
> Have you taken ~ of your senses?!
>
> An é an rud gur chaill tú do chiall?!

leeway

> Give him a little ~ on account of his illness.
>
> Lig beagáinín den scód dó as siocair a thinnis!
>
> She has much ~ to make up. Tá thiar go mór uirthi.

left

He has two ~ feet on the dance-floor. Tá sé sách ciotógach
ar an urlár damhsa., Bíonn dhá chos chlé air agus é ag rince.
He threw money away ~, right and centre.
Chaith sé a chuid airgid dólámh.

leg

You're pulling my ~! Tá tú ag magadh fúm!
Shake a ~! Déan tú féin a bhogadh!
We'd better ~ it out of here!
Ba cheart dúinn na boinn a bhaint as an áit!
(Dún na nGall) Bainimis na bonnaí as an áit!
He's on his last ~s.
Tá sé i ndeireadh na preibe. Tá sé ag comhrá leis an mbás.
You didn't leave him a ~ to stand on.
Bhain tú na cosa uaidh.

lend

~ me a hand! Tabhair lámh chúnta dom!
~ me your ears! Claonaigí bhur gcluas chugam!
This place ~s itself to tourism.
Oireann an áit seo don turasóireacht.

length

at ~ faoi dheireadh
He would go to any ~s to achieve his goal.
Is beag nach ndéanfadh sé lena aidhm a bhaint amach.

let

~ it be! Bíodh amhlaidh!
~ there be no mistake about it!
Ná bíodh aon mhearbhall ar éinne faoi!
~ me see! Fan go bhfeicfidh mé!
~ me know if you are coming!
Cuir scéala chugam má tá tú ag teacht!
We can't afford the food ~ alone the wine!
Níl costas an bhia againn gan trácht ar an bhfíon!
House to ~! Teach le ligean!
He ~ it slip while he was talking to her.
Shleamhnaigh sé uaidh agus é ag caint léi.
She ~ herself go at the party and had a great night.
Lig sí scód léi féin ag an gcóisir agus bhí an-oíche aici.

letter

>This was a real red ~ day for him.
>
>Lá a gcuirtear eang sa ghabhal dó ea ba é.
>
>**the ~ of the law** fuarlitir an dlí
>
>**man of ~s** fear léinn, fear léannta

level

>**Are you being on the ~ with me?**
>
>An bhfuil tú ag insint na fírinne dom?
>
>**It's on the ~!** Nílim ag magadh!, Is rud ionraic é!
>
>**~ -headed person** duine stuama
>
>**She did her ~ best.** Rinne sé a seacht ndícheall.

liberty

>**He is at ~ to do as he chooses.**
>
>Tá cead a chinn aige a rogha rud a dhéanamh.
>
>**He was taking far too many liberties in his interpretation of the play.** Bhí sé ró-cheadmhach ar fad maidir leis an gciall a bhain sé as an dráma.
>
>**I took the ~ of borrowing your book.** Bhí sé de dhánacht ionamsa do leabhar a thógáil ar iasacht.

lick

>**I gave myself a ~ and a promise.**
>
>Thug mé rinseáil na hainnise dom féin.
>
>**She went off at full ~.** D'imigh sí lei faoi lánsiúil.
>
>**He's a ~.** Is maidrín lathaí é.
>
>**When he saw the food, he ~ed his lips.** Nuair a chonaic sé an bia, chuimil sé a theanga dá liopaí.

lid

>**We're trying to keep a ~ on it.**
>
>Táimid ag iarraidh cos a bhualadh ar an scéal.

lie[1]

>**white ~** bréag gan dochar, bréag dhíomhaoin, bréag bhán
>
>**black ~** deargéitheach, deargbhréag
>
>**Not a word of a ~!** Níl focal bréige ann!
>
>**She lied through her teeth.**
>
>Rinne sí bréag mhór Éireann de.

lie[2]

>**I'm not taking this lying down.**
>
>Níl mé chun glacadh leis seo gan oiread is focal a rá.

life

> **There he was large as ~!**
> Ansin a bhí sé ina steillbheatha!
> **The play came to ~ in the second act.**
> Tháinig anam sa dráma sa dara gníomh.
> **between ~ and death** idir bás agus beatha
> **She ran for her ~.** Rith sí lena hanam.
> **He was swimming for dear ~.**
> Bhí sé ag snámh ar a chroí díchill.
> **She was the ~ and soul of the party.**
> Ba í croí na cuideachta í.
> **I've never seen anything like it in all my ~!**
> Riamh le mo bheo ní fhaca mé a leithéid!
> **Such is ~!** Sin mar atá an saol!
> **I can't for the ~ of me understand why he did it.**
> Ní thuigim beirthe ná beo cén fáth a ndearna sé é.
> **It's a matter of ~ or death.**
> Is ceist báis nó beatha é.
> **Where there's ~ there's hope.**
> Bíonn súil le muir ach ní bhíonn súil le huaigh.
> **My ~ isn't worth living.** Ní beo liom mo bheo.
> **Do not on your ~ tell him!** Ar d'anam ná hinis dó!

lift

> **He didn't ~ a finger to help us.**
> Ní chorraigh sé cos leis chun cabhrú linn.
> **It gave me a ~.** Thug sé ardú croí dom.
> **Can you give me a ~ to the shops?**
> An féidir leat síob chun na siopaí a thabhairt dom?

light[1]

> **I'm beginning to see the ~ at the end of the tunnel.**
> Tá tuiscint an scéil á nochtadh dom faoi dheireadh.
> **Some curious things came to ~.**
> Nochtadh rudaí aisteacha don saol.
> **in the cold ~ of day** faoi sholas geal an lae ~
> **He was given the green ~ to start the work.**
> Tugadh cead/ an solas glass dó tús a chur leis an obair.
> **She is a leading ~ in Irish opera.**
> Is duine mór le rá i gceoldrámaíocht na hÉireann í.

light²

    as ~ as a feather chomh héadrom le sop

    I'm a ~ sleeper. Is é codladh an ghiorria a dhéanaim.

    He made ~ of it.

    Rinne sé beag is fiú de.

    in the cold ~ of day faoi sholas geal an lae

    Many hands make ~ work.

    Ní fear amháin a bhuann an fómhar ach meitheal bhuana.

lightning

    as quick as ~ ar luas lasrach

    ~ never hits the same place twice.

    Ní thiteann an chaor thine ar an áit chéanna faoi dhó.

like

    Just ~ a man!

    Sin iad na fir agat!, Fir!

    She's nothing ~ as beautiful as her sister.

    Níl aon bhreith aici ar a bheith chomh hálainn lena deirfiúr.

    ~ father ~ son!

    Cad a dhéanfaidh mac an chait ach luch a mharú!

    A ~ly story! Scéal gan chraiceann é sin!

    Their ~s will never be here again.

    Ní bheidh a leithéidí arís ann.

    Will you go there again next year? – Not ~ly! An rachaidh tú ann an bhliain seo chugainn? – Is beag an baol air sin!

lily

    He's a ~ -livered scoundrel! Is cladhaire díomhaoin é!

limb

    out on a ~ stoite amach ó dhaoine eile

    He'll tear you ~ from ~!

    Ní fhágfaidh sé deoir ionat!

limbo

    in ~ i liombó

    Until I got the results I was in a state of ~.

    Sula bhfuair mé na torthaí bhíos sa láthair fholamh ar fad.

limelight

    in the ~ faoi sholas an tsaoil mhóir

    She always likes to grab the ~.

    Is breá léi i gcónaí an t-ionad is feiceálaí a fháil di féin.

limit

> **You are the ~!** Níl aon teorainn leatsa!
> **When you're an engineer the sky's the ~.** Nuair is innealtóir thú bíonn féidearthachtaí gan chuimse agat.

line

> **She has been against it all along the ~.**
> Bhí sise ina aghaidh ar feadh an ama.
> **Hard ~s!** Is bocht an scéal é!
> **along these ~s** sa treo seo
> **You're on the right ~s.** Tá tú ar an mbealach ceart.
> **a written exam or something in that ~**
> scrúdú scríofa nó a leithéid
> **to fall into ~ with your plans**
> teacht i líne le do chuid pleananna
> **Drop me a ~ when you get to Paris!**
> Cuir focal chugam nuair a thagann tú go Páras!
> **to stand in ~ for hand-outs** seasamh i líne ar son déirce
> **There I draw the ~ – he's not coming to the party!**
> Stop ansin – níl sé ag teacht chun na cóisire!
> **He is lining his own pockets.**
> Ag cnuasach saibhris dó féin atá sé.
> **to read between the ~s** léamh idir na línte
> **You're out of ~ here!** Táir ag dul thar a bhfuil ceadaithe anois!

linen

> **One shouldn't wash one's dirty ~ in public!**
> Ná lig do náire leis na comharsana!

lion

> **the ~'s share** cuid Mhic Craith den fhia
> **to put one's head in the ~'s mouth**
> dul sa bhearna bhaoil

lip

> **Less of your ~!** Is leor sin den ghearrchaint uaitse!
> **Keep a stiff upper ~!**
> Déan cruachan in aghaidh na hanachaine!
> **My ~s are sealed.** Tá glas ar mo theanga.
> **He pays him ~ -service.** Tugann an béal bán dó.
> **She pays ~ -service to the rules.**
> Molann sí na rialacha ó bhéal amach.

listen

> **to be ~ ing in on a conversation**
> bheith ag cúléisteacht le comhrá
> **He won't ~ to reason.**
> Ní éistfidh sé le réasún., Ní féidir ciall a chur ina cheann.,
> Ní thiocfaidh sé chun cadairne., Ní thabharfaidh sé cluas
> do chomhairle ar bith.

little

> **~ by ~** beagán ar bheagán
> **He made ~ of it.**
> Rinne sé beag is fiú dé.
> **He eats ~ or nothing.** Is beagáinín beag a itheann sé.
> **Every ~ helps.**
> Bailíonn brobh beart.
> **be it ever so ~** dá laghad é

live[1]

> **~ and let ~!** Ceart dom, ceart duit!
> **You ~ and learn.** Múineann an saol duine (cleas nó dhó).
> **May you ~ to be a hundred!**
> Go maire tú an céad!
> **He ~s it up in Spain.**
> Bíonn sé ag déanamh aeir dó féin sa Spáinn.
> **as long as I ~** le mo bheo

live[2]

> **He's a real ~ wire.** Is é an tapaíoch i gceart é!
> **The programme is ~.** Is clár beo é!
> **as ~ ly as a cricket**
> chomh luaineach le dreancaid

load

> **That's a ~ off my mind.**
> Is mór an faoiseamh aigne dom é sin.
> **He had a heavy ~ on his mind.**
> Bhí ualach mór ar a chroí.
> **She has ~s of money.**
> Tá an dúrud airgid aici.
> **We have ~ of time yet.**
> Tá neart ama againn fós.
> **~ed question** ceist chalaoiseach

loaf

    Use your ~! Úsáid do cheann!

    Half a ~ is better than none.

    Is fearr leath ná meath.

    He was ~ing about. Bhí sé ag fálróid thart.

lock

    ~, stock and barrel idir ailím is mhadar.

    idir chorp, chleite agus sciathán

    under ~ and key faoi ghlas

log

    It's as easy as falling off a ~.

    Tá sé chomh héasca le caitheamh dairteanna.

    I slept like a ~. Chodail mé spuaic mhaith.

loggerheads

    They are at ~ with one another.

    Tá siad in adharca a chéile.

long

    How ~ is the beach? Cén fad atá an trá?

    How ~ do the holidays last for?

    Cá fhad a mhairfidh na laethanta saoire?

    It's a ~ time since I've seen you!

    Is fada nach bhfaca mé thú!

    She pulled a ~ face.

    Chuir sí fad mo bhoise de phus uirthi féin.

    Why the ~ face?

    Cén fáth a bhfuil fad an lae amáraigh de phus ortsa?

    at ~ last faoi dheireadh thiar thall

    for a ~ time ar feadh tamaill fhada

    ~ time ago tamall fada ó shin

    before ~ roimh i bhfad

    ~ ~ ago fadó, fadó

    The ~ and the short of it is he won't be coming.

    Is é bun agus barr an scéil nach mbeidh sé ag teacht.

    He is not ~ for this world. Is gearr le dul aige anois.

long-drawn-out

    ~ story scéal an ghamhna bhuí

long-winded

    ~ speech óráid ó Shamhain go Bealtaine

look

> **by the ~s of things** de réir dealraimh
>
> **She ~s down her nose at us.**
> Bíonn cor ina srón aici chugainn.
>
> **He ~s up to us.** Tugann sé urraim dúinn.
>
> **I'm ~ing forward to your arrival.**
> Is fada liom do theacht (*plural:* bhur dteacht).
>
> **She has the ~ of her mother.**
> Tá cosúlacht a máthar inti.
>
> **~s can be deceptive.**
> Ní ionann i gcónaí cófra agus a lucht.
>
> **I know it's not much to ~ at.**
> Tuigim nach mór an chuid súl é.
>
> **I didn't even get a ~ in.**
> Níor tugadh deis ar bith dom fiú mo dhá phingin
> a chaitheamh isteach sa scéal.

loom

> **Our examinations will soon be ~ing large on the
> horizon.** Beidh na scrúdaithe á dtuar dúinn anois
> gan ró-mhoill.

loop

> **to find a ~ -hole** poll éalaithe a aimsiú
>
> **The little biplane did a ~ the ~.**
> Rinne an déphlána beag lomlúbadh san aer.
>
> **She's ~y.** Tá sifil uirthi.

loose

> **to tie up ~ ends** na cinn scaoilte a cheangal
>
> **I'm at a ~ end since I lost my job.**
> Táim díomhaoin ó chaill mé mo chuid oibre.
>
> **That guy has a screw ~.** Tá boc mearaí air.
>
> **There's a maniac on the ~.**
> Tá duine buile imithe le scód.

lord

> **as drunk as a ~** ar stealladh na ngrást
>
> **He lives like a ~.** Tá saol na bhfuíoll aige.
>
> **He likes to ~ it over everyone.**
> Is maith leis bheith ag mursantacht ar dhaoine eile.
>
> **Good ~!** A Thiarna Dia!

lose

There's no time to ~. Ní tráth faillí é.

The joke was lost on her.
Níor aithin sí an greann ann ar chor ar bith.

That mistake lost him his job.
Chaill sé a jab de dheasca an bhotúin sin.

I gave you up for lost. Bhain mé mo shúil díotsa ar fad.

He lost his reason. Scar a chiall leis., Chaill sé a chiall.

He lost it. Chaill sé é., Chaill sé guaim air féin.

He/ She lost his/her rag.
Bhris an braon salach amach.

He lost his cool. Chaill sé srian air féin.

She lost her temper. Rug an fhearg bua uirthi.

I'm not going to ~ any sleep over it.
Ní chuirfidh sé ó chodladh na hoíche mé.

She lost her nerve. Loic sí.

What have you got to ~? Cad tá le cailliúint agat?

You're playing a losing game. Caillfidh tú an imirt seo.

loser

He's a bad ~. Ní chailleann sé i bpáirt na maitheasa.

He's a ~! Is caillteachán é!

~s are always in the wrong.
An té atá thíos luitear cos air.

Finders keepers ~s weepers!
Is minic gur fearr agam ná liom.

loss

I cut my ~es. Níor chaill mé tuilleadh leis.

It's your ~! Tú féin a bheidh thíos leis.

He's no great ~. Ní fearr ann é.

It's a dead ~. Is caillteanas glan é.

I am at a ~ to know what advice I should give.
Tá sé ag dul sa mhuileann orm cén chomhairle ba
chóir dom a thabhairt.

I'm at a ~ to understand why you did it.
Téann sé díom a thuiscint cén fáth go ndearna tú é.

lost

He's a ~ cause. Is cás caillte é.
(see also: lose)

love

---

grá: *(general use)*

I love you. Tá grá agam duit.
I am in love with you. Táim i ngrá leat.
to fall in ~ titim i ngrá
to marry for ~ pósadh le teann grá
Music is my first ~.
Is í an ceol mo chéad ghrá.
~ of money is the root of all evil.
Is é grá an airgid fréamh gach oilc.

---

greann: *(poetic use)*

my heart's love greann mo chroí

---

searc: *(between two people)*

I loved her. Thug mé searc di.
~ spot ball seirce
Megan was my first ~.
Ba í Megan mo chéadsearc.

---

suirí: *(act of love)*

to make ~ suirí a dhéanamh

---

breá: *(often things or events)*

I love music. Is breá liom ceol.

---

cumann: *(fellowship)*

my ~d ones mo lucht cumainn

---

cion: *(affection)*

loving embrace barróg cheana
I love my family greatly.
Tá cion mór agam ar mo mhuintir.
He has a proper ~ for the value of money.
Tá cion ar airgead aige.

---

gean: *(attachment, caring)*

I love my children with all my heart.

> Tugaim gean mo chroí do mo leanaí.

dúil: *(desire, passion, predilection)*
I learnt Irish for the love of it.
D'fhoghlaim mé an Ghaeilge le dúil inti.

dáimh: *(empathizing love)*
I love Ireland.
Tá dáimh agam le hÉirinn.

low

I'm very ~ these days. Táim in ísle brí ar na saolta seo.

We are ~ in potatoes. Táimid gann i bprátaí.

That is the ~est of the ~! Ní féidir bheith níos táire ná sin!

You'd better keep a ~ profile for a while.
B'fhearr duit fanacht as radharc ar feadh tamaillín.

~ -down trick cleas suarach.

luck

as good ~ would have it ar ámharaí an tsaoil

as ill ~ would have it mar bharr ar an donas

He's down on his ~ for the past while.
Bíonn an saol ag rith ina choinne le tamall anuas.

stroke of good ~ sciorta den ádh

This is your ~y day! Is é seo uair an tsonais duit!

Better ~ next time! Beidh lá eile ag an bPaorach!

I'll try my ~. Rachaidh mé san fhiontar.

~y dip mála an éithigh, tobar féiríní

Good ~! Go n-éirí an t-ádh leat!

lull

She was ~ed into a false sense of security.
Cuireadh ar a suaimhneas í le dúmas bréige.

lumbered

I was ~ed with everything. Carnadh gach uile shórt ormsa.

lump

I had a ~ in my throat. Bhí tocht i mo scornach agam.

If you don't like it you can ~ it!
Taitníodh sé leat nó ná taitníodh sé leat, caithfidh tú
cur suas leis!

lunacy

It's sheer ~! Níl ann ach an deargbhuile!

lurch

He left me in the ~.

D'fhág sé san abar mé.

luxury

She lives in the lap of ~.

Ní cheileann sí aon só uirthi féin.

M

mad

He's as ~ as a March hare/ as a hatter.

Tá sé chomh mear le míol Márta.

She's raving ~. Tá sí ar mire báiní.

She was going ~ with the pain.

Bhí sí ag dul a meabhair le teann péine.

It made me ~. Chuir sé thar bharr mo chéille mé.

She was working away like ~.

Bhí sí ag obair faoi mar a bheadh tine ar a craiceann.

That's a ~ idea altogether, Ted!

Smaoineamh buile ar fad é sin, Ted!

It's sheer ~ness to go outside in this heat.

Is díth céille ar fad é dul amach ina leithéid de theas.

made

~ -to-measure suit culaith atá déanta de réir miosúir

self- ~ man fear déanta a rathúnais féin

~ - up story scéal i mbarr bata

If you get the last number – you're ~!

Má fhaigheann tú an uimhir dheireanach – tá agat!

maid

She's an old- ~. Is seanchailleach í.

maiden

~ voyage an chéad turas

~ **speech** an chéad óráid

main

　　in the ~ i gcoitinne

make

　　He's on the ~. Ag iarraidh dul ar an mbreis atá sé.

　　It will be the making of you.

　　Cuirfidh sé ar do chosa thú.

　　~ -believe cur i gcéill

　　The events of next week will ~ or break the firm.

　　Tá teacht slán an chomhlachta ag brath go hiomlán ar imeachtaí na seachtaine seo chugainn.

　　They had a row and then made up. Bhí achrann eatarthu ach ansin tháinig siad chun réitigh lena chéile.

　　I'll ~ it up to you later.

　　Déanfaidh mé é a chúiteamh leat níos déanaí.

　　I've made up my mind. Tá m'aigne déanta suas.

man

　　I'm your ~! Mise an fear agat!

　　fully ~ned boat bád faoi lán foirne

　　Could I talk to you ~ to ~?

　　An bhféadfainn labhairt leat fear le fear eile?

　　Who's your ~ over there?

　　Cé hé mo dhuine thall ansin?

　　the average ~ in the street

　　Seáinín Saoránach na sráide móire

　　They were lost to a ~.

　　Cailleadh gach uile fhear riamh acu.

　　his right-hand ~ a ghiolla gualainne

manger

　　Don't be a dog -in-the-~!

　　Ná bí i do tharbh bán Mhuisire!

manner

　　in a ~ of speaking mar a déarfá

　　That'll teach him ~s!

　　Múinfidh sin fios a bhéasa dó!

　　Have you forgotten your ~s?

　　Nach sílfeá go mbeadh múineadh ort!

　　in like ~

mar an gcéanna

map

The new Film Fleá put Galway on the ~. Chuir an
Fhleá Scannánaíochta go mór le hiomrá na Gaillimhe.

march

I was given my ~ing orders. Cuireadh chun bealaigh mé.,
Tugadh bata agus bóthar dom.

marines

Tell that to the ~! Inis an scéal sin don ghealach!

mark

~ my words! Cuimhnigh ar a bhfuil mé á rá leat!

You are a ~ed man. Tá an tóir ar do dhroim.

as a ~ of respect for you le teann measa ort

He's not up to the ~. Níl sé sách maith.

She was quick of the ~. Ní raibh fiú aga moille uirthi.

You're way wide of the ~!

Is fada ón muileann a leag tú an sac!

His answer was wide of the ~. Chuaigh a fhreagra amú ar fad.

marrow

I'm frozen to the ~. Táim préachta go smior na gcnámh.

mass

to go to ~ dul chun an Aifrinn

He's a good ~ -goer. Is Aifreannach maith é.

Young people left Ireland on ~.

D'fhág na daoine óga Éire ina sluaite.

mast

flag at half-~ bratach i lár crainn

match

He's no ~ for you. Níl sé inchurtha leatsa.

She met more than her ~ in Liam.

Casadh fear a mhúinte di i Liam.

matter

as a ~ of fact déanta na fírinne

It is only a ~ of a couple of days. Níl i gceist anseo ach cúpla lá.

It's a ~ of opinion. Ní lia duine gan tuairim.

It's no great ~. Is beag an tábhacht é.

as ~s stand faoi mar atá an scéal

What ~?! Nach Cuma?!

What is the ~? Cad tá cearr?

meal

to make a ~ of it gnó mór na hÉireann a dhéanamh de

three square ~s a day trí bhéile fhiúntacha sa lá

means

by all ~ cinnte ar ndóigh

by some ~ or other ar dhóigh nó ar dhóigh eile

by fair ~ or foul le cuma nó le cleas

We have no ~ of doing it.

Níl slí againn lena dhéanamh.

She is living beyond her ~.

Is mó a mála ná a soláthar.

Liam is by no ~s the best football player.

Ní hé Liam an t-imreoir peile is fearr ná dhath cosúil leis.

by ~ of trickery

le cleasaíocht

~ test fiosrú maoine

measure

beyond ~ as cuimse

in some ~ go pointe áirithe

as a precautionary ~ le fios nó le hamhras

They went to extreme ~s to get rid of the plague.

Chuaigh siad i muinín modhanna antoisceacha chun
an phlá a dhíbirt.

meat

One man's ~ is another man's poison!

Leas Mhurchaidh agus aimhleas Mhánais!

Mecca

It is the ~ for all jazz-musicians.

Is é Meice na snagcheoltóirí é.

medicine

She gave him a dose of his own ~.

Thug sí tomhas a láimhe féin dó.

medium

happy ~ cothrom cirt

meet

to ~ a person halfway an difríocht a scoilteadh le duine

He met his match. Casadh duine air a bhí inchurtha leis.

He met his **Waterloo.** Ba é a lá turnaimh é.

melt

She ~ed into tears. Tháinig frasa deor léi.

Everything is in the ~ ing -pot.

Tá an t-iomlán i mbéal a athraithe.

mend

Ken was ill but he's on the ~ now.

Bhí Ken tinn ach tá biseach ag teacht air anois.

Trade is on the ~. Tá cúrsaí trádála ag dul i bhfeabhas.

Least said soonest ~ed. Níor bhris béal iata fiacail riamh.

You'll have to ~ your ways.

Caithfidh tú do bheatha a leasú.

mention

Don't ~ the war! Ná luaigh an cogadh!

not to ~ all his other good qualities

gan trácht a dhéanamh ar a dhea-thréithe eile go léir

mercy

angel of ~ aingeal na trócaire

I suppose we should be thankful for small mercies.

Is dócha gur chóir don bhocht bheith buí le beagán.

merry

~ Christmas! Nollaig shona duit!

~ -go-round áilleagán intreach

She was a bit ~. Bhí sí pas beag súgach.

The more the merrier!

Is é a locht a laghad!

message

It took him a while to get the ~.

Thóg sé tamall dó sular thuig sé conas mar a bhí an scéal.

method

There is ~ in his madness. Amadán iarainn é siúd.

mettle

He showed what ~ he was made of.

Thaispeáin sé an mianach a bhí ann.,

Thaispeáin sé go raibh an mianach ceart ann.

I was put on my ~. Cuireadh mé i muinín mo dhíchill.

Mickey

~ Finn deoch suain

She's just taking the ~. Níl sí ach ag déanamh amadáin díot.

Midas

    She has the ~ touch in everything she does.
    Bíonn lámh na beannachta ar gach rud a dhéanann sí.

middle

    I was in the ~ of doing it. Bhí mé le linn a dhéanta.
    As a politician, he holds ~ -of-the-road views.
    Mar pholaiteoir, gabhann sé lár báire.
    The country was smack in the ~ of an economic crisis.
    Bhí an tír díreach i gceartlár géarchéime geilleagraí.

mid-life

    ~ crisis aothú na meánaoise

midnight

    to burn the ~ oil coinneal airneáin a chaitheamh

midstream

    to stop ~ stopadh i lár an tsrutha

midsummer

    ~ madness buile lár an tsamhraidh

might

    ~ is right. Cloíonn neart ceart.
    He fought with ~ and main. Throid sé lena raibh ina chorp.

Mike

    for the love of ~ in ainm Chroim

mile

    The x-ray was a ~ stone in medical history.
    Casadh mór i stair an leighis ea ba an x-ghathú.
    It's sticking out a ~. Bheadh sé le feiceáil ag duine dall.
    They're ~s apart! Níl siad i ngiorracht scread asail dá chéile.
    You're ~s out if you think that.
    Tá tú dul amú go mór ort má cheapann tú é sin.

milk

    There is no good crying over spilt ~.
    Níl maith sa seanchas nuair atá an anachain déanta.
    She is the ~ of human kindness.
    Is í an cineáltas é féin.

mill

    People were ~ing about. Bhí slua ag tuairteáil thart.
    It was like a ~~stone round my neck.

Bhí sé ina thrillín orm.

million

You are one in a ~! Is aingeal thú!, Níl éinne inchurtha leatsa!

mince

They made ~ meat of him. Rinne siad ciolar chiot de.

I'm not going to ~ my words with you.

Nílim chun deismíneacht chainte a dhéanamh leatsa.

mind

Bear that in ~! Ná déan dearmad air sin.

It went clean out of my ~. D'imigh sé glan as mo cheann.

I'm in two ~s about it.

Táim i gcás idir dhá chomhairle faoi.

Never ~! Is cuma!

I don't ~. Is cuma liom.

Don't ~ him! Ná bac leis siúd!, Ná cuir aon nath air siúd!

~ the step! Fainic thú féin ar an gcéim!

I made up my ~ to do it. Chinn mé ar é a dhéanamh.,
Rinne mé suas m'aigne é a dhéanamh.

I've a good ~ to tell him that.

Is beag a bhéarfadh orm é sin a rá leis.

What do you have in ~? Cad tá ar intinn agat?

It was weighing on my ~. Bhí sé ina thrillín ormsa.

That's a weight off my ~. Sin faoiseamh intinne dom.

Great ~s think alike. Tuigeann fáidh fáidh eile.

I can see it in my ~'s eye.

Is féidir liom é a shamhlú dom féin.

Would you ~ repeating that?

Ar mhiste leat é sin a rá arís?

if you don't ~ mura miste leat

She's a journalist, ~ you, she always liked writing.

Is iriseoir í, (ach) sin ráite, thaitin an scríbhneoireacht
léi gcónaí.

I had to speak my ~.

Bhí orm a raibh ar mo chroí a rá.

She isn't in her right ~. Níl sí ar a ciall (cheart).

He lost his ~. Chuaigh sé as a mheabhair.

A good holiday will take your ~ off this unhappiness.

Tógfaidh saoire mhaith an cian seo díot.

peace of ~ suaimhneas intinne

mine

gold ~ mianach óir

This new business is a gold ~.

Slámáiltear airgead mór sa ghnó nua seo.

She is a ~ of information. Is foinse eolais í.

mint

He making a ~.

Tá sé ag carnadh airgid.

in ~ condition úrnua

minute

Wait a ~! Fan nóiméad!

up-to-the-~ technology

an teicneolaíocht is deireanaí

miscarriage

She had a ~. Rug sí go hanabaí., Scar sí le clann.

~ of justice iomrall ceartais

mischief

He loves to make ~. Is breá leis trioblóid a tharraingt.

out of pure ~ le teann urchóide

Keep out of ~! Fan amach ón diabhlaíocht!

misery

They put him out of his ~.

Chuir siad deireadh lena shaol cráite.

He's such an old ~ -guts. Nach suarach an t-ainniseoir é.

miss

I think I'll give the theatre a ~ tonight.

Ceapaim nach mbacfaidh mé leis an amharclann anocht.

I ~ you a lot.

Chronaigh mé go mór uaim thú.

You ~ed the point completely. Chuaigh tú amú ar fad.

I meant to avail of the opportunity but I ~ed

the bus! Bhí sé ar intinn agam breith ar an bhfaill

ach lig mé tharam é!

That was a near ~! Ba bheag nár aimsigh sin an marc!

He never ~es a trick. Ní bhíonn aon néal air.,

Ní imíonn aon rud air.

A ~ is as good as a mile! Ní fearr Éire ná orlach!

It was hit or ~. Urchar bodaigh i bpoll móna ea ba é.

mistake

Let there be no ~ about it! Ná bíodh aon amhras faoi!,
Ná bí in aon amhras faoi!

You're in luck an no ~!
Tá an t-ádh ag rith leat agus níl ceist ar bith faoi sin!

mix

There has been a ~ -up. Tá botún déanta.

Our bags got ~ed up. Meascadh suas ár málaí.

It's a ~ed blessing. Is claíomh dhá bhéal é.

~ed school scoil mheasctha

moment

She has her ~s. Bíonn tairbhe inti ó am go chéile.

He is the man of the ~.
Is é fear mór na huaire é.

the ~ of truth aga na fírinne

Not for a ~ did I imagine she would win.
Níor shamhail mé riamh go mbeadh an bua aici.

from the ~ I saw you ón nóiméad a chonaic mé thú

I saw him just a ~ ago.
Go díreach nóiméad ó shin a chonaic mé é.

I won't be a ~. Ní bheidh mé ach dhá nóiméad.

money

She is made of ~. Tá sí lofa le hairgead.

He is rolling in ~. Tá sé ar maos le hairgead.

It can't be had for love or ~.
Níl sé le fáil ar ór ná ar airgead.

It's ~ for old rope. Is airgead éasca é.

Put your ~ where your mouth is. Beart de réir briathair!
Tá caint saor, cuir airgead air!

You're throwing good ~ after bad.
Tá tú ag súil le cúiteamh an chearrbhaigh.

She spends ~ like water.
Bíonn sí ag caitheamh airgid le gaoth.

monkey

She was trying to make a ~ out of me.
Bhí sí ag iarraidh ceap magaidh a dhéanamh díom.

There's some ~ business going on here.

Tá caimiléireacht de shaghas éigin ar siúl anseo.

month

> **You'll never finish that job, never in a ~ of Sundays.**
> Ní chríochnóidh tú an jab sin go brách na breithe.

moon

> **once in the blue ~** uair sa naoi n-aird
> **He asking for the ~ and the stars.**
> An domhan is a bhfuil ann atá uaidh.
> **I'm over the ~ about it.** Léimfinn tigh!
> Tá sceitimíní áthais orm faoi.

more

> **~ or less** a bheag nó a mhór
> **I'm ~ or less finished.** Táim ionann is críochnaithe.
> **The ~'s the pity.** Móide an trua.
> **All the ~ reason for you to be there.**
> Is amhlaidh is córa duit bheith ann.
> **Say no ~!** Ní beag a bhfuil ráite agat!
> **She's no ~ a professor than I am.**
> Ní ollamh í ach oiread liom féin.
> **~ fool you!** Níl ann ach gur mó an t-amadán thú!

morning

> **Good ~!** Dia duit ar maidin!
> **in the ~** ar maidin
> **tomorrow ~** maidin amárach
> **the next ~** maidin lá arna mhárach
> **from ~ till night** ó dhubh go dubh
> **~ sickness** tinneas maidine

most

> **at the ~** ar a mhéad
> **for the ~ part** don chuid is mó den am
> **They are ~ly Irish.**
> Tá an chuid is mó acu ina nÉireannaigh.
> **We had better make the ~ of the holidays.**
> Ba chóir dúinn an tairbhe is mó a bhaint as
> na laethanta saoire.

motion

> **They went through the ~s of trying to rescue the crew.** Lig siad orthu go rabhadar ag iarraidh

an fhoireann a tharrtháil.

mould

> **A woman cast in a heroic ~.** Bean a bhfuil laochas inti.
>
> **When you were made they broke the ~.** Is amhlaidh nach mbeidh do leithéid arís ar an saol seo choíche., Níl do mhacasamhail ar an domhan seo agus ní bheidh.

mountain

> **Don't be making ~s out of mole hills!**
> Ná bí ag déanamh míol mór de mhíoltóg!

mouth

> **Shut your ~!** Dún do bhéal!
>
> **He's all ~!** Is béal gan scáth é!
>
> **You've said a ~ful!** Dúirt tú lán béil d'fhocal!
>
> **You took the words out of my ~.**
> Bhain tú an focal as mo bhéal!
>
> **The story spread by word of ~.**
> Chuaigh an scéal ó bhéal go béal.

move

> **Get a ~ on!** Brostaigh ort!
>
> **I'd ~ heaven and earth to help you.**
> Rachainn go fíoríochtar ifrinn chun cabhrú leat.
>
> **Don't ~ a muscle!** Ná déan cor ná car!
>
> **~ along, please!** Coinnígí oraibh ag siúl, le bhur dtoil!

much

> **How ~ is it?** Cé mhéad atá air?
>
> **I am ~ better, thank you very ~!**
> Táim i bhfad níos fearr, go raibh míle maith agat!
>
> **I don't think ~ of it.** Ní mór mo mheas air.
>
> **So ~ the better!** Is amhlaidh is fearr é!
>
> **He's not ~ of a photographer.**
> Ní mór is fiú é mar ghrianghrafadóir.
>
> **He took my pen without asking – that's too ~!**
> Thóg sé mo pheann gan é a iarraidh –
> Tá sin thar cailc ar fad!
>
> **The weather doesn't seem to be up to ~ at the moment.**
> Níl mórán fiúntais san aimsir faoi láthair.

Half an hour late – so ~ for his punctuality!
Leathuair déanach – sin agat é féin agus a phoncúlacht!

muck

You made a ~ of it. Rinne tú praiseach de.

When we were camping, we all just ~ed in.
Nuair a bhí muid ag campáil, chuireamar go léir ár nguaillí le chéile.

~ -raking clúmhilleadh

The press were ~ -raking.
Bhí an preas ar thóir scéalta scannalacha.

mud

It's as clear as ~. Tá sé chomh doiléir le ceo tiubh.

They dragged his name through the ~.
Tharraing siad a ainm tríd an láib.

muddle

We'll ~ through somehow.
Déanfaimid beart éigin más go ciotach féin é.

mum

~'s the word. Leag cos air sin!, Bíodh sin ina rún!

murder

I could ~ a sandwich. Mharóinn ceapaire dá bhfaighinn ceann.

His mum lets him get away with ~. Tá loite ar fad ag a mham.

must

You have to see this film – it's a ~.
Caithfidh tú an scannán seo a fheiceáil – níl aon dul uaidh!

mustard

He's as keen as ~. Tá sé chomh díbhirceach le beach.

N

nab

I wasn't able to ~ him at the meeting.
Ní raibh mé in ann greim a fháil air ag an gcruinniú.

nagging

She is always ~ him. Bíonn sí i gcónaí á bhearrthóireacht.

She never stops ~.
Ní stadann sí leis an síor-ithe agus gearradh.

nail
> **You've hit the ~ on the head.**
> Leag tú do mhéar air.
> **He's as hard as ~s.**
> Tá sé chomh crua le cloch.
> **She paid on the ~.**
> D'íoc sí ar an bpointe.
> **I was biting my ~s.**
> Bhí mé ag ithe mo chuid ingne.
> **That was another ~ in his coffin.**
> Chuir sin tairne eile ina chónra.
> **as dead as a door ~**
> chomh marbh le hart, le hAnraí a hocht

naked
> **to see it with the ~ eye** é a fheiceáil leis an tsúil fhornocht
> **the ~ truth** an fhírinne lom

name
> **She was calling me ~s.** Bhí sí do mo chur as m'ainm.
> **He had his ~ cleared.** Tugadh a chlú ar ais dó.
> **He got a bad ~.** Cuireadh droch-chlú air.
> **In the ~ of all that's holy!** In ainm na naomh uile!
> **She has made a ~ for herself in music.**
> Rinne sí ainm di féin sa cheol.
> **I haven't a penny to my ~.** Níl cianóg rua agam.
> **My ~was mud with them.** Ní raibh meas madra acu ormsa.

napping
> **I was ~ in the afternoon.**
> Bhí néal codlata agam um thráthnóna.
> **He was caught ~.** Rugadh air agus é ina chodladh ar an jab.

narrow
> **I had a ~ excape.**
> D'imigh mé idir cleith is ursain.,
> Ar eang is ar éigean as tháinig mé slán.
> **in the ~est sense** sa chiall is cúinge
> **~ attitude** dearcadh caolaigeanta

nasty

    Isn't he a ~ piece of work!
    Nach gránna an suarachán é!

native

    ~ speaker cainteoir dúchais
    my ~ land mo thír dhúchais

nature

    ~ calls!
    Caithfidh mé cnaipe a scaoileadh!
    It has become like second ~ to me.
    Tá sé anois mar a bheadh sé ó dhúchas agam.

near

    It was a ~ thing. Chuaigh sé go dtí an dóbair.
    I ~ ly drowned. Dóbair go mbáfaí mé.
    They ~ ly killed me. Dóbair siad mé a mharú.
    ~ at hand in aice láithreach
    my ~ est and dearest iad siúd is neasa dom
    He's nowhere ~ as good as you.
    Níl aon ghoir aige a bheith chomh maith leatsa.

neck

    I'm up to my ~ in work.
    Tá seacht gcúraimí an tsléibhe orm.
    I'm up to my ~ in debt.
    Tá mé báite i bhfiacha.
    She surely had nothing to do with this?! –
    She's up to her ~ in it! Is cuid dílis den scéal iomlán í!
    What's happening in your ~ of the woods?
    Cad tá ag tarlú sa chuid sin den tír ina bhfuil tusa?
    I can't do it with him breathing down my ~.
    Ní féidir liom an obair a dhéanamh agus é ina
    sheasamh go bagrach os mo chionn.
    She's a right pain in the ~. Is crá croí ceart í.
    I'm not going to stick my ~ out for him. Níl mise
    chun mo cheann féin a chur i mbaol ar a shonsa.
    I risked my ~ coming here.
    Chuir mé mo bheo i gcontúirt ag teacht anseo.
    They were ~ and ~. Bhí siad gob ar ghob.,
    Ní raibh ionga ná orlach acu ar a chéile.

You've a hell of a ~ to come here and say that to me!
Nach dána an mhaise duit teacht anseo agus é sin a rá liom.

He got it in the ~. Fuair sé i mbun na cluaise é.

need

No ~ to worry! Níl call le himní!

There's no ~ for me to say just how happy I am today.
Ní gá dom a rá cé chomh háthasach is atáim inniu.

if ~'s be más gá

in time of ~ in am an ghátair

A friend in ~ is a friend indeed!
Aithnítear cara i gcruatan!

needle

It's like looking for a ~ in a haystack.
Is ionann é agus bheith ag tóraíocht na snáthaide
móire san fhásach.

She was needling him. Bhí sí ag séideadh faoi.

neighbour

next-door ~ comharsa bhéal dorais

in the ~ hood of three million Euro
suas agus anuas le trí mhilliún Euro

Nellie

Not on your ~! Ná smaoinigh air fiú!

nerve

He lost his ~. Loic sé., Theip ar a mhisneach.

I hadn't the ~ to ask him.
Ní raibh de mhisneach ionam fiafraí de.

She was just a bundle of ~s.
Bhí sí ar aon bharr amháin creatha.

She is all ~s. Tá sí ar bior., Tá sí ar tinneall.

The ~ of him to say such a thing!
Nach dána an mhaise dó a leithéid a rá.

She gets on my ~s.
Feidhmíonn sí ar mo néaróga.

nest

He's feathering his own ~.
Ag tarraingt uisce dá mhuileann féin atá sé.

He had a nice little ~ egg when he went on pension.
Bhí bonnachán beag deas aige agus é ag dul ar phinsean.

nettle

> We will just have to grasp the ~.
>
> Caithfimid ól na dí seirbhe a thabhairt air.

never

> ~ - ~ **land** Tír na nÓg
>
> **on the** ~ ~ le fruilcheannach
>
> ~ **ever again** go deo na ndeor, go brách
>
> ~ **say** ~ **(again)!** Ná habair choíche go deo!

new

> That's a ~ **one on me.** Sin rud nua dom.
>
> **Happy** ~ **year!** Athbhliain faoi mhaise duit!
>
> ~ **-fangled ideas** tuairimí nuafhaiseanta
>
> A ~ **broom sweeps clean.** Scuab úr scuabann sí glan.

news

> **Any** ~? Aon scéal nua?
>
> **No** ~ **is good** ~.
>
> Is maith scéal gan aon drochscéal.
>
> **The Tánaiste is in the** ~ **of late.**
>
> Bíonn an Tánaiste i mbéal an phobail le déanaí.
>
> **Have I** ~ **for you!** Nach agam atá an scéal duit!
>
> ~ **worthy event**
>
> eachtra in-nuachta

next

> **the girl** ~ **door** an cailín béal dorais
>
> **What** ~! Cad eile!
>
> **I got it for** ~ **to nothing.** Fuair mé ar 'ardaigh orm' é.

nick

> **The bike was in reasonable** ~.
>
> Bhí an rothar i gcruth réasúnta maith.
>
> **in the** ~ **of time** go díreach in am
>
> **She** ~**ed my pen.** Sciob sí mo pheann orm.
>
> **Old** ~ An Fear Dubh

night

> **last** ~ aréir
>
> **the** ~ **before last** arú aréir
>
> **tomorrow** ~ oíche amárach
>
> **Good** ~! Oíche mhaith agat!
>
> **in the** ~ istoíche

one—-stand páirtí-grá-imí'-roimh-lá;
(BAC) seasamh aon oíche
~ - cap deoch oíche, deoch roimh dhul a chodladh

nine

She was dressed up to the ~s.
Bhí sí gléasta go barr na méar.,
Chuir sí a breá breá uirthi féin.
It's a ~ day's wonder! Beidh comhrá naoi lá air!, Bróga nua!
I was on cloud ~.
Bhí mé i mbarr na gceirtlíní geala.

nineteen

He talks ~ to the dozen.
Bíonn sé ina chlaibín muilinn i gcónaí.

ninety

The crack was ~! Bhí an chraic nócha!

nip

to ~ it in the bud é a mharú san ubh
There's a bit of a ~ in the air.
Tá sé pas beag feannaideach.
I'll just ~ down to the shops.
Sciorrfaidh mé anonn go dtí na siopaí.
She was ~ping in and out of the traffic.
Bhí sí ag sní amach is isteach idir an trácht (bóthair).

nippy

It's a bit ~ today. Tá bearradh fuar air inniu.

no

~ surrender! Bás nó bua!
~ smoking! Ná caitear tobac!
~ nonsense! Cuir uait an tseafóid!
He's a ~ nonsense person. Is duine gan aon amaidí é.
I'll not take ~ for an answer.
Ní ghlacfaidh mé le diúltú.
He is ~ great shakes. Ní raibh seisean sa Táin.
Ní chuirfeadh seisean an citeal ag gol.
I'm ~ longer as young as I used to be.
Ní óg mar a bhíos atáim anois.
It caused me ~ end of trouble.
Ní raibh aon deireadh leis an tribóid a bhí agam leis.

Eventually I found the way there, ~ thanks to you! Faoi
dheireadh fuair me mo shlí ann ná raibh a bhuíochas ortsa!

It's a ~~. Ní dhéantar é sin.

nobody

He was working away like ~'s business.
Bhí sé ag obair ar dhícheall a anama.

She's ~'s fool. Ní leanbh ó aréir í.

He may look a push-over but he's certainly ~'s fool.
Má tá sníomh bog air is cinnte go bhfuil tochardadh crua air

nod

The baby is in the land of ~.
Tá an leanbán ar mhargadh na holla.

I have an ~ding acquaintance of/with him.
Tá smear-aithne agam air., Tá aithne shúl agam air.

I was ~ding off. Bhí néal ag titim orm.

(Even) Homer ~s.
Ní bhíonn saoi gan locht.

He greeted her and she gave him a ~.
Bheannaigh sé í agus chroith sí a ceann dó.

She gave him the ~ when the coast was clear.
Nuair nach raibh duine ná deoraí sa bhealach thug
sise comhartha cinn dó.

A ~ is as good as a wink to a blind horse.
Is leor leid don eolaí.

noise

big ~ in politics
boc mór sa pholaitíocht

There was a lot of ~ about this new film.
Tógadh gáir mhór faoin scannán nua seo.

none

Put your hands together for ~ other than Megan K!
Cuirigí bhur lámha le chéile mar cé atá ann ach Megan K!

I think ~ the less of you for it. Ní lúide mo mheas ort é.

I'm ~ the wiser. Ní móide an t-eolas atá agam.

You were ~ too soon. Ní raibh tú ach in am.

nook

I looked in every ~ and cranny of the house.
Chuardaigh mé i ngach poll agus prochóg den teach.

noose

>You're putting your own head in a ~.
>
>Is é do cheann féin atá á chur i sealán na croiche agat!

nose

>She turned up her ~ at it.
>
>Chuir sí cor ina srón chuige.
>
>She led him by the ~. Bhí sé ar teaghrán aici.
>
>He looks down his ~ at undergraduates.
>
>Bíonn a shrón san aer aige chuig fhochéimithe.
>
>You put his ~ out of joint by not inviting him.
>
>Bhris tú a shrón nuair nár thug tú cuireadh dó.
>
>She bit the ~ off me. Bhain sí an tsrón díom.
>
>He was nosing about. Bhí sé ag sróinínteacht thart.
>
>With the leaving Cert only a month away now, I'll
>have to keep my ~ to the grind stone. Agus os rud é
>nach bhfuil an Ardteistiméireacht ach mí uainn anois,
>caithfidh mé fanacht faoi dhaoirse na gcorr.
>
>She's always poking her ~ into matters that don't
>concern her. Bíonn sí i gcónaí ag cur a ladair isteach
>i ngnóthaí nach mbaineann léi.
>
>It's no skin off my ~. Ní mise a bheadh thíos leis.
>
>Where is the phone? – It's there right under your ~!
>
>Cá bhfuil an fón? – Tá sé díreach ansin os coinne do shúl!

nosey

>He's a ~ parker. Is socadán é.
>
>Don't be so ~! Ná bí chomh fiosrach sin!

note

>She is a writer of ~. Is scríbhneoir iomráiteach í.
>
>The speech she gave struck the right ~.
>
>Ba thráthúil an óráid a thug sí.

nothing

>It has ~ to do with you.
>
>Ní bhaineann sé leatsa.
>
>It all came to ~.
>
>Níor tháinig aon rud as.
>
>I can make ~ of this letter.
>
>Ní féidir liom adhmad ar bith a bhaint as an litir seo.
>
>There's ~ more to be said about it.

Níl a thuilleadh le rá faoi.

There's ~ to worry about.

Níl ábhar imní ann.

He thinks ~ of walking 30 kilometres.

Ní dada aige tríocha ciliméadar a shiúl.

Thank you very much! – Think ~ of it!

Go raibh míle maith agat! – Ní dada é!

~ could be easier. Ní féidir le haon rud bheith níos fusa.

There was ~ else for it but to wait for him.

Ní raibh a athrach le déanamh ach fanacht air.

He'll stop at ~ in order to achieve his goal.

Ní bheidh cosc ná srian le cur air go dtí go
mbainfidh sé a aidhm amach.

The dress she bought was like ~ on earth!

Ní raibh aon dealramh ar an ghúna a cheannaigh sí.

I got it for next to ~. Fuair mé ar 'ardaigh orm' é.

I was given the coat for ~.

Tugadh an cóta saor in aisce dom.

notice

    to change plans at short ~ pleananna a athrú láithreach baill

    at short ~ gan foláireamh

    Take no ~ of him! Ná bac leis!, Ná tabhair aird ar bith air!

nude

    in the ~ lomnocht

number

    His ~'s up. Tá a chnaipe déanta., Tá a rás rite.

    There's safety in ~s. Ní neart go teacht le chéile.

    She has a cushy ~. Bíonn saol an mhadra bháin aici.,
    Tá sí ina suí go te.

nut

    She's ~s about him. Tá sí splanctha ina dhiaidh.,
    Tá sí as a ceann le grá dó.

    He's ~s about golf. Tá sé fiáin chuig an ghalf.

    Inflation was a tough ~ to crack.

    Fadhb chrua le réiteach ea ba an boilsciú.

    That's it in a ~ shell. Sin é i gcúpla focal é.

    He can't sing for ~s. Níl nóta in ceann agus é ag canadh.

O

oar

> Everything was fine until she put her ~ in.
> Bhí gach rud go breá go dtí gur chuir sise a ladar isteach.
> He's resting on his ~s.
> Tá sé ag ligean a mhaidí le sruth.

oats

> He had to sow his wild ~ first.
> Bhí air a bháire baoise a imirt ar dtús.

object

> Money is no ~.
> Is cuma faoin airgead.

occasion

> She rose to the ~.
> Thaispeáin sí go raibh sí inchurtha leis an ghnó.

odd

> at ~ times corruair
> ~ly enough he didn't do it.
> An rud is aistí faoi, ní dhearna sé é.
> It makes no ~s! Is cuma!
> They are at ~s with one another.
> Tá siad in achrann lena chéile.
> You're fighting against the ~s.
> Tá tú ag snámh in aghaidh an tsrutha.

off

> They are badly ~ for money.
> Is crua mar atá an t-airgead de dhíth orthu.
> They are badly ~. Tá siad ar an anás.
> They are well ~. Tá siad go maith as.
> ~ you go! Ar aghaidh leat!
> The meat has gone ~. Tá cor san fheoil.
> ~ and on anois is arís

off-chance

> I just went there on the ~ of seeing her.
>
> Chuaigh mé ann ar an chaolseans go bhfeicfinn í.

off-hand

> He treated me in an ~ manner.
>
> Chaith sé go giorraisc liom.

oil

> I'll have to burn the midnight ~.
>
> Beidh ormsa an choinneal airneáin a chaitheam.
>
> to ~ the wheels ola a chur ar na rothaí
>
> to pour ~ on troubled waters
>
> clár mín a chur ar scéal achrannach

ointment

> That's the fly in the ~.
>
> Sin an breac sa bhainne.

old

> He did the work any ~ how.
>
> Rinne sé an obair ar nós cuma liom.
>
> How ~ are you?
>
> Cén aois thú?
>
> He's as ~ as the hills.
>
> Tá aois chapall na gcomharsan aige.
>
> It's money for ~ rope. Is airgead éasca é.
>
> My ~ man won't let me go there.
>
> Ní ligeann an seanleaid sa bhaile dom dul ann.
>
> I know him of ~. Tá seanaithne agam air.
>
> ~ wives' tale comhrá cailleach
>
> He swam across the bay at the ripe ~ age of 92.
>
> Snámh sé trasna an bhá agus é ina chnagaois
>
> mhaith de nócha dó.

on

> This kind of shoddy work is just not ~! Ní dhéanfaidh a
>
> leithéid seo d'obair shuarach an chúis in aon chor!

once

> He gave the rooms the ~ -over.
>
> Thug sé súil reatha ar na seomraí.

Do it at ~! Déan láithreach é.

I'll be there at ~! Beidh mé ann gan mhoill.

I told her ~ and for all that I wouldn't do it.
Dúirt mé léi den turas deireanach nach ndéanfainn é.

~ in a while anois is arís

one

We are at ~ with the Government on this matter.
Táimid ar aon intinn leis an rialtas faoin cheist seo.

It's all the ~. Is ionann é.

It's all the ~ to me. Is ionann an cás domsa é.

That's ~ up for us! Sin cúig againne!

We'll drop into the pub and have a quick ~.
Buailfimid isteach sa tábhairne agus slogfaimid taoscán.

That's a good one! Féach air sin mar scéal!

Welcome ~ and all! Fáilte roimh gach uile dhuine!

~ for the road! Deoch an dorais!

I'm not much of a ~ for rugby.
Ní fear mór rugbaí mise., Níl tóir ró-mhór agam ar an rugbaí.

~ way or the other she will have to sit the examination.
Bealach amháin nó bealach eile caithfidh sí
an scrúdú a sheasamh.

It's just ~ of those things. Sin mar a tharlaíonn (ar uaire).

only

You're not the ~ one. Níl tú leat féin.

You've ~ to ask. Níl ort ach iarraidh.

~ yesterday I was talking to her.
Inné féin, bhí mé ag caint léi.

open

in ~ court i gcúirt phoiblí

The whole affair was brought out into the ~.
Tugadh an scéal go léir amach os comhair an tsaoil mhóir.

out in ~ country amuigh ar an réiteach/ faoin tuath oscailte

It is ~ to improvement. Is féidir feabhas a chur air.

He is not ~ to advice. Ní éistfidh sé le comhairle ar bith.

~ -air theatre amharclann amuigh faoin aer

She looked at me with ~ -eyed astonishment.
D'fhéach sí orm agus an dá shúil ar leathadh
le hiontas ina ceann.

They received the refugees with ~ arms.
Chuir siad fáilte is fiche roimh na dídeanaithe.

I went into this work with my eyes ~. Bhí a fhios go maith
agam cad a bhí gceist nuair a thug mé faoin obair seo.

opinion

It is a matter of ~. Ní lia duine gan tuairim!

In my ~ she is right. Dar liomsa, tá an ceart aici.

opposite

Quite the ~ is true.
A mhalairt ar fad is fíor.

the ~ sex
an cineál eile

in the ~ direction sa treo eile

the house ~ an teach thall

my ~ number an comhchéimeach liom ar an taobh eile

options

I would like to keep my ~ open for the time being.
Ba mhaith liom mo roghanna go léir a bheith agam
ar feadh tamaillín fós.

order

~s are ~s Níl dul thar orduithe.

That's (a bit of) a tall ~! Níor dhada beagán!

Everything is good working ~.
Tá gach rud in ordú maith oibre.

ordinary

It wasn't anything out of the ~.
Ní aon rud neamhchoitianta a bhí ann.

It was something out of the ~.
Rud thar an gcoitiantacht a bhí ann.

the ~ man in the street
Seáinín saoránach na sráide móire

other

every ~ day gach re lá

the ~ day an lá cheana

They followed her in one after the ~

Lean siad í isteach duine ina dhiaidh duine

The bottles fell one after the ~.

Thit na buidéil ceann ina dhiaidh a chéile.

~ things being equal

agus gach ní eile mar a chéile

He could have helped them but he looked the ~ way.

D'fhéadfadh sé cabhrú leo ach d'iompaigh sé na súile uathu.

out

    ~ with it! Abair amach é!

    ~ you go! Amach leat!

    ~ in the open air amuigh faoin aer

    ~ in the country amuigh faoin tuath

    ~ at sea amuigh ar an bhfarraige

    ~ of danger as baol

    ~ of power as cumhacht

    Are you ~ of your mind?

    An bhfuil tú as do mheabhair?

    They fell ~ over it.

    Thit siad amach lena chéile dá dheasca.

    We're ~ of tea.

    Táimid rite as tae.

    We had a day ~.

    Bhí lá faoin tor againn.

    We had a night ~.

    Bhí oíche scléipe againn.

    The tide is ~.

    Tá sé ina thrá.

    The lights are ~.

    Tá na soilse múchta.

    The workmen are ~.

    Tá na hoibrithe ar stailc.

    He's ~ of it!

    Tá sé caite i gcártaí.

    She was ill last week but she's ~ and about again now. Bhí sí tinn an tseachtain seo caite ach tá sí suas ar a cosa anois arís.

outside

    It was an ~ chance. Ní raibh ach caolseans ann.

    Bhí air a bháire baoise a imirt ar dtús.

a thousand Euro at the ~ míle Euro ar a mhéad

outstay

    Never ~ your welcome!

    Cuairt ghearr agus é a dhéanamh go hannamh!

outweigh

    His virtues ~ his vices.

    Is troime a shuáilcí ná a dhuáilcí.

over

    ~ and ~ again arís agus arís eile

    ~ my dead body! Feicfidh tú in ifreann mé roimhe sin!

    They are all ~ the new baby.

    Tá siad doirte don leanbán nua.,

    Tá siad leáite anuas ar an leanbán nua.

    Let's get it ~ and done with! Cuirimis dínn é!

    That ~ and done with years ago!

    Tá a lán uisce imithe le sruth ón aimsir sin.

    On the job-scene at fifty you're ~ the hill.

    Maidir le fostaíocht, má tá tú caoga, is arán ite thú.

overboard

    Don't go ~ with the decorations!

    Ná téigh thar fóir leis na maisiúcháin!

overdo

    You mustn't ~ it so much. You'll get ill.

    Ná luigh ort féin chomh mór sin. Éireoidh tú tinn.

    She totally overdid it with the make-up.

    Chuaigh sí thar cailc ar fad leis an smideadh.

own

    She really has come into her ~ this last year.

    Tá sí tagtha chun cinn go mór i mbliana.

    He's his ~ man. Níl tuilleamaí aige le duine ar bith.

    She got her ~ back on him.

    Bhain sí a cúiteamh as.

    He held his ~ against them all. Sheas sé a chuid féin orthu.

    Bhain sé ceart den iomlán acu.

    I am all on my ~. Táim i m'aonar ar fad.,

    Táim liom féin amháin.

    She ~ed up to the crime.

    D'admhaigh sí go ndearna sí an choir.

oyster

> You're young and intelligent. The world is your ~!
>
> Tá tú óg agus éirimiúil. I dtús do reatha atá tú!

P

P's & Q's

> You had better watch your ~ while she's around!
>
> Caithfidh tú bheith go cúramach agus ise timpeall.

pace

> They put him through his ~s.
>
> Chuir siad tríd an mhuileann é á thástáil.
>
> The ship gathered ~. Thóg an long siúl.
>
> at walking ~ ar chéim siúil
>
> at a (good) ~ faoi shiúl beo
>
> She could keep ~ with the work.
>
> Níor éirigh léi cos a choinneáil leis an obair.

pack

> There was no money to be made in it and so they
> ~ed it in. Ní raibh aon airgead le déanamh ann mar
> sin chaith siad a lámh i bpaca.
>
> A lot of people ~ed up and went to America.
>
> Is iomaí duine a bhailigh a chip is a mheanaí is
> d'imigh leis go Meiriceá.
>
> The place was ~ed. Bhí an áit dubh le daoine.
>
> She sent him ~ing. Thaispeáin sí an bóthar dó.

paddle

> to ~ your own canoe d'iomaire féin a threabhadh

pain

She was at great ~s trying to explain it to us.
Rinne sí lúb agus casadh ag iarraidh é a mhíniú dúinn.
**Look at all I did! And all I got for my ~s was rudeness
and ingratitude!** Féach ar a ndearna mise! Agus sin a bhfuil
agam dá bharr – tutaíl agus míbhuíochas!
He's a ~ in the neck. Is cealg sa bheo é!
What a ~! Nach é an crá croí!

paint

She's no oil ~ing! Ní spéirbhean í!,
Ní Niamh Nuachruthach í!
We ~ed the town red last night.
Bhí an-oíche scléipe againn aréir.

pale

That's going beyond the ~.
Tá sin ag dul thar fóir.

palm

to grease his ~ breab a thabhairt dó
She greased his ~. Chuir sí airgead i gcúl a dhoirn dó.
She has him in the ~ of her hand.
Tá sé ar teaghrán aici.

pan

flash in the ~ gal soip
Things didn't ~ out as I expected.
Níor tháinig críoch ar an scéal mar a
bhí súil agam leis.
She had a completely ~ expression.
Ní raibh aon rud le léamh ar a haghaidh.

pancake

It was as flat as a ~. Bhí sé ina léircín.

paper

to ~ over the cracks na lochtanna a cheilt

par

I'm feeling a bit below ~ today.
Nílim ag aireachtáil ach go measartha inniu.
The hotel is on a ~ with the Ritz in London.
Tá an óstlann ar aon chéim leis an Ritz i Londain.

It's all ~ for the course.
Is inne agus ionathar an tsaoil é!,
Is cuid dílis den chluiche mór é sin!

paradise
You can't live your life in a fool's ~!
Caithfidh tú an taibhreamh a chur uait lá éigin!
He lives in a fool's ~. Tá dallach dubh air., Níl aon pheaca air.
Living in the Canary Islands is ~ on earth. Is é parthas
ar an saol seo cónaí a dhéanamh ar na hOileáin Chanáracha.

pardon
~ me! Gabhaim pardún agat!

parrot
to learn everything ~ fashion
gach rud a fhoghlaim ar nós pearóide

part
For my ~ I can't see anything wrong with that.
Chomh fada agus a bhaineann sé liomsa,
ní fheicim aon rud cearr leis sin.
It's ~ and parcel of it. Is alt den mhuineál é.,
Is inne agus ionathar an scéil é.
For the most ~ people don't care.
Is cuma leis an chuid is mó den phobal.
Married for ten years, they eventually ~ed company.
Pósta le deich mbliana, scar siad lena chéile sa deireadh
thiar thall.
I'm afraid we have come to a ~ ing of the ways.
Is eagal go bhfuil orainn dul ar ár mbealaí éagsúla
as seo amach.
He took the joke in good ~.
Ghlac sé leis an ghreann i bpáirt mhaitheasa

party
to follow the ~ line polasaí an pháirtí a leanúint

pass
~ing comment focal fánach
She mentioned in ~ing that you would be late.
Dúirt sí i gcomhrá fánach go mbeadh tusa déanach.
He made a ~ at her. Chuir sé chun tosaigh uirthi
He ~ed out with the heat.

Thit sé in laige de dheasca an teasa.
He ~ed away last year.
Chuaigh sé ar shlí na fírinne anuraidh.
She ~ed the whole thing off as a joke.
Rinne sí ábhar grinn den scéal iomlán.
This cloth could ~ for silk.
D'fhéadfaí an t-éadach seo a thógáil in ainriocht síoda.
We'll let it ~ this time! Scaoilimis leis an uair seo!
~ me the milk! Sín chugam an bainne!

past

She's ~ her best. Tá a bláth curtha aici.
He's ~ it! Tá a lá thart!, Tá a lá caite aige!
I wouldn't put it ~ you! Ní chuirfinn tharat é!
He's a ~ master at finding ways of inveigling money out of people. Tá seanchleachtadh aige ar mhodhanna chun airgead a mhealladh ó dhaoine.

pat

to ~ a person on the back
moladh a thabhairt do dhuine
We all got a ~ on the back from the manager.
Fuaireamar go léir focal molta (nó dhó) ón bhainisteoir.

path

You'd have every stamp-collector in the country beating as ~ your door. Bheadh gach bailitheoir stampaí sa tír ag bualadh ar do dhoras.
He and I crossed ~s in Sligo recently.
Casadh orm i Sligeach é le déanaí.

patience

Have ~! Bíodh foighne agat!
They would try the ~ of a saint!
Chaithfidís an fhoighne ag Naomh Pádraig féin!
You'd need the ~ of Job with those kids!
Chuirfeadh na leanaí sin go bun na foighne thú!
My ~ is at an end!
Tá briste ar an bhfoighne agam!

pause

It gave me ~ for thought.
Bhain sé stad asam chun machnamh a dhéanamh.

pave

> Industrialisation ~d the way for the spread of English.
> Réitigh an tionsclaíocht an bealach do leathadh an Bhéarla.

pay

> They made us ~ through the nose.
> Shaill siad sinn.

> There'll be the devil to ~ if she finds out about it.
> Beidh an diabhal is a mháthair le díol má fhaigheann sí amach faoi.

pea

> They are alike as two ~s in a pod.
> Tá siad mar a sceithfeadh fíogach fíogach eile.

> He's a real ~ brain.
> Tá sé chomh dúr le slis.

> ~ brained idea smaoineamh gan aird,
> smaoineamh dobhránta

peace

> I held my ~.
> Ní raibh smid asam.,
> D'fhan mé i mo thost.

> to keep the ~
> an tsíocháin a choimeád

> He made his ~ with her.
> Tháinig sé chun réitigh léi.

> for ~ sake de ghrá an réitigh

peck

> He gave her a ~ on the cheek.
> Thug sé póigín ar an leiceann di.

pecker

> Keep you ~ up!
> Ná caill do mhisneach!

pecking

> The officers were standing in ~ order.
> Bhí na hoifigigh ina seasamh de réir a ranga.

pedestal

> She put her father on a ~.
> Rinne sí dia beag dá hathair.

peeping

He's a ~ **Tom!** Is gliúmálaí é!

peg

She took him down a ~ or two.
Bhain sí an giodam as., Thug sise béim síos dó.
He's a square ~ in a round hole.
Is é an gabha ag déanamh aráin é.
suit of the ~ culaith réamhdhéanta

pelt

at full ~ faoi lánluas

penny

In for a ~, in for a pound!
Ó loisc mé an choinneal, loiscfidh mé an t-orlach.
~ wise, pound foolish!
Tíos na pingine agus cur amú na scillinge!
I haven't a ~ to my name. Níl pingin rua agam.
I'm going to spend a ~. Scaoilfidh mé cnaipe.
Has the ~ dropped yet? An bhfuil sé ag maidneachan fós?
That cost a pretty ~ I bet!
Bhí airgead maith le híoc air sin nach raibh?!
A ~ for your thoughts! Pingin ar a bhfuil tú ag smaoineamh?

pep

She's full of ~. Tá sí lán de cheol!
The coach gave the team a ~ talk before the match.
Thug an traenálaí cúpla focal misnigh don fhoireann
roimh an chluiche.

perfect

He knows the poem word- ~.
Tá an dán ar eolas go foirfe aige.
You're a ~ idiot! Is amadán den scoth thú!

peril

Do that at your ~!
I mbaol d'anama déan é sin!

period

This play is a ~ piece.
Tarlaíonn an dráma seo suite in aimsir faoi leith.
actors in ~ dress aisteoirí gléasta i gcultacha seanré

perish

~ the thought! I bhfad uainn an t-olc!

person

    He met the king in ~. Bhuail sé leis an rí féin féin.

    The letter was delivered to him in ~.

    Tugadh an litir dó féin féin.

perspective

    Let's get this matter in ~.

    Feicimis an scéal seo ina cheart.

    She has the thing out of all ~.

    Tá an rud as peirspictíocht ar fad aici.

petard

    The headmaster had the doors locked to catch latecomers.

    One day he himself was late and was hoisted by his own ~.

    Chuir an t-ardmháistir na doirse faoi ghlas chun breith ar na straigléirí ach lá bhí sé féin déanach agus ba é an tslat a bhain sé féin a bhuail é.

phrase

    That is how she ~d it.

    Sin mar a chuir sí i gcaint é.

    as the ~ goes mar a deirtear

phut

    The TV has gone ~. Cliseadh ar an teilifís.

pick

    You can't just ~ and choose.

    Ní bhíonn cead roghnachais agat.

    She was ~ing holes in my argument.

    Bhí sí ag fáil lochtaí i m'argóint.

    She's always ~ing on me.

    Bíonn sí i gcónaí anuas orm.

    to ~ pockets pócaí a phiocadh

    Beware of ~ pockets! Fainic thú féin ar phiocairí póca!

    She ~ed up Irish quickly.

    Thug sí an Ghaeilge léi go tapa.

    That will ~ you up. Tabharfaidh sin chugat féin thú.

    Don't ~ on me! Ná bí anuas ormsa!

    I wanted to ~ your brains.

    Theastaigh uaim dul i muinín do shaineolais.

picture

    Do you get the ~? An dtuigeann tú an scéal?

She is a ~ of health.

Is í an tsláinte ina seasamh í.

I wanted to put you in the ~.

Theastaigh uaim an scéal a chur ar do shúile duit.

pie

It's all ~ in the sky. Níl ann ach speabhraídí.

She has a finger in every ~.

Bíonn ladhar i ngach aon ghnó aici.,

Bíonn a gob sáite i ngach aon rud.

piece

It was a ~ of cake! Ní raibh ann ach caitheamh dairteanna!,

Bhí sé chomh héasca lena bhfaca tú riamh!

I want a ~ of the action. Tá blas den chomhraic uaim.

He was carrying a ~. Bhí arm tine á iompar aige.

I gave her a ~ of my mind. Thug mise le hinsint di.

Her argument fell to ~s.

Thit a hargóint as a chéile.

pig

I bought a ~ in a poke. Cheannaigh mé muc i mála.

She made a ~ of herself. Rinne sí cráin chraosach di féin.

They were rowing and I was ~gy in the middle.

Bhí siadsan in achrann lena chéile agus mise i lár báire.

Yeah, and ~s might fly!

Tá, agus tiocfaidh na ba abhaile leo féin!

It's like living in a ~ sty.

Tá sé mar a bheifeá i do chónaí i mbrocais.

pikestaff

It's as plain as a ~.

Tá sé chomh soiléir le grian an mheán lae.

pillar

He is a ~ of the church.

Is crann taca na hEaglaise é.

She has me running from ~ to post.

Bíonn sí do mo ruaigeadh ó thor go tom.

pin

You could of heard a ~ drop.

Chloisfeá biorán beag ag titim.

I had ~s and needles in my legs.

Bhí codladh grifín i mo chosa.

pinch

Take all he says with a ~ of salt.

Ná slog a ndeir seisean gan é a chogaint go maith

We felt the ~ of poverty.

Bhí an gátar ag teannadh orainn.

pink

I was tickled ~ when I heard the news.

Bhí sceitimíní orm nuair a chuala mé an scéal.

pip

It gives me the ~.

Cuireann sé déistin orm.

He was ~ped at the post.

Buadh air le gob ag an cheann sprice.

pipe

It's really only a ~ dream at the moment. I ndairíre

ní ach aisling na súl oscailte faoi láthair é.

The tea was piping hot. Bhí an tae go dearg te.

piper

He who pays the ~ calls the tune!

An té a íocann an píobaire, glaonn seisean an port!

(*also:* An té a íocann an píobaire leis-sean rogha an phoirt.)

pipeline

It's still in the ~. Tá sé le teacht fós.

pitch

It was ~ black. Bhí sé chomh dorcha le poll.

Everyone ~ed in. Rinne gach duine a chion féin den obair.

place

Everything fell into ~.

Thit gach uile shórt ina áit cheart.

from ~ to ~ ó áit go háit

He has friends in high ~s.

Bíonn focal sa chúirt aige, Tá lapa (gruagach) aige.,

Tá cairde cumhachtacha aige.

in the first ~ sa chéad áit

in the second ~ sa dara háit

I said nothing – I know my ~.

Ní dúirt mé faic. – Tá fios mo bhéasa agamsa.

It's not my ~ to say anything.

Níl sé ag dul domsa aon rud a rá.

if I were in your ~ dá mba mise tusa

His remarks were out of ~.

Bhí a chuid cainte go míthráthúil.

plain

It will be ~ sailing from here on in.

Beidh an bealach réitithe romhainn as seo amach.

the ~ truth an fhírinne lom

plan

Everything went according to ~.

Chuaigh gach rud de réir mar a bhí sé leagtha amach.

We had to change our ~s.

Bhí orainne teacht ar athchomhairle.,

B'éigean dúinn ár bpleananna a athrú.

The best ~ would be to leave tomorrow.

Ba é ab fhearr a dhéanamh ná imeacht amárach.

plank

to walk the ~ an clár a shiúl thar taobh loinge

He's as thick as two short ~s.

Tá sé chomh dúr le slis.

plate

She has had everything handed to her on a ~.

Bhí an mhaoin as broinn léi.

I have a lot on my ~ these days.

Bíonn seacht sraith ar an iomaire agam na laethanta seo.

play

All work and no ~ makes Jack a dull boy.

Ná cuir tú féin thar do riocht le hobair!

Let's ~ it safe! Fanaimis amach ón mbaol!

It's child's ~! Níl ann ach caitheamh dairteanna!

That isn't fair ~! Ní cothrom na Féinne é sin!

He didn't ~ fair with us.

Níor thug sé cothrom na Féinne dúinn.

~ play to you! Féar plé duit!

She ~ed along with the practical joke.

Ghlac sí páirt sa chleas grinn.

My sciatica is ~ing up again.

Tá an sciatica do mo chrá arís.

He was ~ing for time.

Bhí sé ag iarraidh an scéal a chur chun moille.

The frost has ~ed havoc with the crops.

Rinne a sioc slad ar an mbarr.

He's always ~ing the fool.

Bíonn sé i gcónaí ag pleidhcíocht.

They were ~ing down the whole affair. Bhí siad ag
iarraidh beag is fiú a dhéanamh den scéal iomlán.

please

> **(Everyone) stand, ~!**
>
> Éirígí i bhur seasamh le bhur dtoil!
>
> **May I leave, ~?** Ar mhiste liom imeacht le do thoil?
>
> **Do I have permission to go outside, ~?**
>
> An bhfuil cead agam dul amach más é do thoil é?
>
> **I was as ~d as Punch.**
>
> Bhí mé chomh ríméadach leis na cuacha.
>
> **She ~s herself.** Déanann sí a toil féin.,
>
> Déanann sí de réir mar is mian léi féin.
>
> **Do as you ~!** Déan mar is mian leat!
>
> **You're looking very ~d with yourself!**
>
> Nach ortsa atá an cuma ríméadach ar fad!
>
> **Can I take one? - ~ do!** An féidir liom ceann a thógáil? –
> Tá fáilte romhat!/ Tóg agus fáilte!

pleasure

> **He takes ~ in annoying me.**
>
> Baineann sé sult as olc a chur orm.
>
> **That's nice of you! – It's my ~!**
>
> Is deas uait é sin! – Tá fáilte romhat!
>
> **Have you met Megan? - No I haven't had the ~ yet.**
>
> Ar bhuail tú le Megan? – Ní raibh an pléisiúr sin agam fós.

plot

> **The ~ thickens.**
>
> Tá snáth an scéil ag dul chun castachta.

plough

> **to ~ back some of the money**
>
> cuid den airgead a threabhadh ar ais
>
> **I was ~ing (my way) through the work.**

Bhí mé ag treabhadh (mo bhealaigh) tríd an obair.

plunge

Have you decided to take the ~?
An bhfuil tú chun dul san fhiontar?

pocket

Money burns a hole in his ~.
Mheilfeadh airgead ina mhéara.

She has him in her ~. Tá sé faoi bhois an chait aici.

I'm the one out of ~ by it. Is mise an té atá thíos leis.

poetic

~ **licence** cead fileata

~ **justice** fíorcheart

point

That's beside the ~. Sin dála an scéil.,
Ní bhaineann sin leis an scéal atá i gceist.

I was on the ~ of leaving. Bhí mé ar tí imeacht.

Would you mind getting to the ~.
Ar mhiste leat do chuid cainte a chruinniú.

There's no ~! Níl aon chiall leis!

What's the ~ of that?! Cad é an chiall leis sin?!

I made a ~ of telling him.
Chuaigh mé as mo bhealach lena rá leis.

You've made a fair ~ there. Ní beag a bhfuil ráite agat ansin.

Everything seems to ~ to the fact that he cheated.
Bíonn gach cosúlacht ar an scéal go ndearna sé séitéireacht.

What is your ~ of view? Cad é do dhearcadh féin air?

according to one's ~ of view
de réir an dearcaidh a bhíonn ag duine

But when it came to the ~, he said nothing. Ach nuair a
chuaigh a scéal go bun an angair, ní dúirt sé faic.

poison

Name your ~? Cad a déarfá le deoch?

~ **-pen letter** litir pinn nimhe

pole

They are ~s apart. Ní bhíonn aon dealramh acu ar a chéile.

She's up the ~. Tá sí ag teacht abhaile., Tá sí sa chlub.,
Tá sí ag feitheamh clainne.

polish

You've nearly ~ed off the sweets. Rinne tú jab maith
ar na milseáin!, Is beag nach bhfuil gach milseán ite agat!

pop

He ~ped the question to her last night and she said yes.
Chuir sé an cheist chinniúna uirthi aréir agus ghlac sí leis.
top of the ~s barr na gcairteacha ceoil
Where did you ~ up from? Cad as ar phreab tusa?

Pope

Is the ~ a Catholic?! An Caitliceach an Pápa?!

possess

~ ion is nine points of the law.
Is minic gur fearr agam ná liom.
What ever ~ed you to do that?
Cén diabhal a thug ort é sin a dhéanamh?

post

as deaf as a ~ chomh bodhar le slis
(military) **the last ~** an ghairm dheiridh
I'll keep you ~ed.
Coinneoidh mé gach eolas leat.

pot

She's gone to ~ altogether.
Tá sí imithe chun na tubaiste ar fad!
They have ~s of money. Tá mám airgid acu.
Everything is in the melting ~.
Tá an t-iomlán i mbéal a athraithe.
He took a ~-shot at me. Thug sé urchar reatha fúm.
He had no money and needed to write a ~-boiler.
Níl raibh aon airgead aige agus b'éigean dó saothar a
scríobh chun an snáithe a choinneáil faoina fhiacail.
to take ~-luck an t-arán a ghlacadh mar a gheofá é

potato

Sexual harassment is a hot ~.
Tá an ciapadh gnéasach ina cheist íogair.

potty

She's ~. Tá siabhrán uirthi.

pound

In for a penny, in for a ~!
Ó loisc mé an choinneal, loiscfidh mé an t-orlach.

Penny wise, ~ foolish!
Tíos na pingine agus cur amú na scillinge!
He wanted his ~ of flesh.
Bhí a phunt feola uaidh.

pour

It never rains but it ~s!
Nuair a thig cith, tig balc!
It was ~ing rain.
Bhí sé ag díle báistí.

power

I did all that was in my ~ to help them.
Rinne mé a raibh ar mo chumas chun cabhrú leo.
More ~ to your elbow! Nár laga Dia do lámh!
the ~s that be na húdaráis atá i réim

practical

to play a ~ joke on a person
cleas magaidh a imirt ar dhuine
He tied her leg to the chair as a ~ joke.
Cheangail sé a cos don chathaoir mar chleas magaidh.

practice

~ makes perfect! Cleachtadh a dhéanann máistreacht!
I'm out of ~. Tá easpa cleachtaidh orm.,
Tá mé (éirithe) as cleachtadh.
sharp ~ camastaíl

practise

It's important to ~ what you preach.
Tá sé tábhachtach beart a dhéanamh de réir briathair.

praise

to ~ someone to the skies duine a mholadh go hard na spéire/
go crannaibh na spéire, duine a mholadh go haer
She is beyond (all) praise. Tá sí os cionn ranna.
She was ~d by everyone. Bhí gach duine dá moladh.
~ be to God!
Moladh le Dia!

prayers

He says more than his ~. Ní grian a ghoras a ubh.
You'll be in my ~s. Déarfaidh mé paidir ar do shonsa.

preach

He doesn't practise what he ~es.
Ní dhéanann sé beart de réir a bhriathair.
You're ~ing to the converted.
Ní gá duit rud ar bith a áitiú ormsa.

precious
My Ma told me to take ~ care of him till she came back.
D'fhógair mo Mhaim orm gan é a thabhairt ar chamán ná ar liathróid go dtí go dtiocfadh sise ar ais.
There are ~ few of them left. Is fíorbheagán acu atá fágtha.

prejudice
without ~ gan claonadh

premium
Tickets-sellers were at a ~.
B'fhiú a gcothrom féin den ór lucht díolta ticéad.

prepared
I am not ~ to do such a thing.
Níl mé réidh/ sásta a leithead a dhéanamh.
Be ~ for a bitter battle in court!
Ná bíodh aon iontas ort más troid ghéar sa chúirt é!

presence
She had the ~ of mind to call the Gardaí.
Bhí sé de ghuaim aici fios a chur ar na Gardaí.

present
at ~ faoi láthair
We have enough members for the ~.
Tá go leor ball againn don am atá in láthair.
There's no time like the ~!
Ní tráth moille é!
~ company excepted
gan a bhfuil láithreach a chomhaireamh

press
She was ~ing him to do it.
Bhí sí ag tuineadh leis é a dhéanamh.
We must ~ on!
Caithfimid teannadh romhainn!
We were ~ed for time.
Bhí cruóg orainn.

pressure

~ **group** brúghrúpa

She was working under great ~.

Bhí cruóg mhór uirthi agus í ag obair.

They were bringing ~ to bear on him.

Bhí siad ag teannadh air.

pretence

under the ~ of friendship

ar scáth an chairdis

under false ~s le dúmas bréige

pretty

This is a ~ state of affairs!

Nach deas an chaoi é seo!

~ as a picture chomh gleoite le gleann na deise

I'm ~ well finished.

Is beag nach bhfuilim críochnaithe.

prey

It was ~ing on my mind.

Bhí sé ag goilleadh ar m'intinn.

She was ~ to anxiety.

Bhí sí ite ag an imní.

price

We got tickets for the match – at a ~!

Fuaireamar ticéid don chluiche –

ach bhí pingin mhaith le híoc againn orthu!

Good health is beyond ~. Ní féidir luach a chur ar an tsláinte.,

Is fearr an tsláinte ná na táinte!

You're ~ less! Ní éinne inchurtha leatsa!, Ní féidir

drannadh leatsa!, Tá tusa as compás ar fad!

It must be done at any ~!

Caithfear é a dhéanamh is cuma cén costas atá air!

prick

He ~ed up his ears.

Chuir sé cluas air féin.

pride

The stamp collection was her ~ and joy.

Bhí bród an domhain uirthi as a bailiúchán stampaí.

~ comes before a fall.

Titeann an maíteach i bpoll.

He has always ~d himself on it.
Ba chúis mhórtais i gcónaí dó é.

I swallowed my ~ and admitted I was wrong.
D'ól mé deoch searbh mo náire féin agus d'admhaigh mé go raibh mé mícheart.

She takes ~ in her work.
Bíonn sí bródúil as a cuid oibre.

He's puffed up with ~. Tá sé i mborr le teann mórchúise.

the sin of ~ peaca an uabhair

prime

~ **objective** príomhaidhm

When she was in her ~. Nuair a bhí sí i mbláth a maitheasa.

principle

As a (general) ~ de réir an phrionsabail (choitinn)

In ~, you'd be right. Go ginearálta, bheadh an ceart agat.

print

I didn't read the small ~ of the contract.
Níor léigh mé an 'mionchló' sa chonradh.

out of ~ as cló

private

He works as a ~ eye. Is bleachtaire príobháideach é.

pros

to weigh up the ~ and cons
an dá thaobh den scéal a mheá

probability

In all ~, he has gone home now.
De réir gach cosúlachta, tá sé imithe abhaile anois.

profile

You had better keep a low ~ for a while.
B'fhearr duitse fanacht sa chúlráid ar feadh tamaillín.

proof

The ~ of the pudding is in the eating.
Moltar an cócaire tar éis na cóisire.

procrastination

~ **is the thief of time.**
An rud a théann i bhfad, téann sé i bhfuaire.

prodigal

The ~ Son An Mac Drabhlásach

proportion

    out of ~ as compás

    You have got things out of all ~.

    Chaill tú peirspictíocht ar fad ar an scéal.

proud

    as ~ as punch chomh postúil le cat siopa

    as ~ as a peacock chomh leitheadach leis na cuacha

    I'm ~ to know her. Is onóir dom aithne bheith agam uirthi.

    They did us ~. Thug siad ómós mór dúinn.

public

    ~ holiday lá saoire poiblí

    in ~ go poiblí

    the general ~ an saol mór

    to go ~ (with a story) scéal a chur os chomhair an phobail.,
    scéal a chur faoi bhráid an tsaoil mhóir

pudding

    The proof of the ~ is in the eating!

    Cruthú na putóige a hithe!

puff

    ~ed up with pride i mborr le teann mórchúise

    I was ~ed out when I got to the top of the mountain. Bhí
    saothar anála orm nuair a bhain mé barr an tsléibhe amach.

pull

    She ~ed a face. Chuir sí straois uirthi féin.

    She ~ed a fast one on me. Bhuail sí bob ormsa.

    She managed to ~ it off. D'éirigh léi é a chur i gcrích.

    She didn't ~ her weight. Ní dhearna sise a cion féin.

    ~ your socks up! Cuir bealadh faoi d'ioscaidí!

    ~ yourself together! Beir greim ort féin!

    He ~s no punches. Ní leasc leis fiacail a chur ann.

    The patient is ~ ing through.

    Tá biseach ag teacht ar an othar.

pulse

    As manager he kept his finger on the ~.

    Mar bhainisteoir, bhí súil ghrinn aige ar gach rud a tharla.

punch

    I was as pleased as ~.

    Bhí mé chomh sásta lena bhfaca tú riamh. *(see also: proud)*

There was a ~ -up. Chuathas i muinín na ndorn (dúnta).

pup

    He's a cheeky ~! Is dailtín sotalach é!

    ~py love grá coileán

pure

    It is only greed - ~ and simple!

    Níl ann ach saint – gan aon mhaisiúchán!

purgatory

    It's ~ for me. B'fhearr liom bheith ar leac ifrinn ná é.

purse

    You can't make a silk ~ out of a sow's ear.

    Is deacair olann a bhaint de ghabhar.

    She holds the ~ -strings.

    Aicise atá an sparán.

push

    He's ~ing fifty.

    Tá an caoga ag teannadh air., Tá sé anonn sna daichidí.

    Don't ~ your luck!

    Ná cuir an iomarca i do mhála gioblach!

    That's ~ing it a bit!

    Tá sin ag dul pas beag thar fóir!

    I am ~ed for time.

    Tá cruóg orm.

    The exam was a ~ -over.

    Ní raibh sa scrúdú ach píosa amaidí.

put

    ~ it there! Leag anseo é!

    It ~ me off reading the book.

    Chuir sé mé ó léamh an leabhair.

    I ~ off the party. Chuir mé an chóisir ar ceal.

    He was ~ away. Cuireadh i bpríosún é.

    I wanted to ~ things right.

    Theastaigh uaim bail a chur ar an scéal.

    I won't ~ up with it any longer.

    Ní chuirfidh mé suas leis a thuilleadh.

    She ~ him up to doing it.

    Spreag sise é lena dhéanamh.

    ~ -up job gnó caimiléireachta

You stay ~! Fan tusa san áit ina bhfuil tú!

puzzle

    It ~d me.

    Chuaigh sé sa mhuileann orm.

pyjamas

    She thinks she's the cat's ~.

    Ceapann sí an dúrud di féin.

Pyrrhic

    ~ victory bua Phiorrach, bua in ainm amháin

Q

Q

    They did it on the q.t..

    Rinne siad faoi rún é.

quack

    ~ remedy leigheas maide

    He's no doctor - he's a ~.

    Ní dochtúir ann ach potrálaí.

quantity

    She's an unknown ~.

    Ní bheadh a fhios agat cad a dhéanfadh sise.

quarter

    at close ~s bonn le bonn

    from all ~s as gach cearn

    living ~s seomraí cónaithe

    the moon in its first ~ an ghealach i mbéal ceathrún

    the moon in its last ~ an ghealach ina ceathrú deireanach

question

    There's no ~ of it! Níl aon cheist faoi!, Níl aon amhras faoi.

    the matter in ~ an scéal atá i gceist

    Her loyalty was called into ~. Bhí ceist a dílseachta á plé.

    That is a loaded ~. Is ceist chalaoiseach é sin.

    It's a vexed ~. Is ceist achrannach é.

    rhetorical ~ ceist reitriciúil

    That is the sixty-four thousand dollar ~! Dá bhféadfaí

é sin a fhreagairt, chuirfí an dlaoi mhullaigh ar an scéal!

queue

    She jumped the ~. Bhris sí isteach go barr na scuaine.

    No ~ -barging! Ná bí(gí) ag briseadh na scuaine!

    to form a ~ dul i scuaine

quick

    as ~ as lightning ar luas lasrach

    The remark cut me to the ~. Chuaigh an focal go beo ionam.

    She's ~ on the uptake. Tuigeann sise (an) leathfhocal.

quids

    If your mother-in-law likes you – then you'll be ~ in.
    Má thaitníonn tusa le do mháthair chéile – beidh tú ar sheol na braiche!

quits

    Now we're ~s! Táimid cúiteach anois!

quite

    ~ so! Go díreach!

    You are ~ right!
    Tá an ceart go hiomlán agat!

    It was ~ a surprise!
    Ba mhór an t-iontas é!

    This wedding is ~ something!
    Ní raibh bainis go dtí seo!

R

R

    The three R's.
    Na trí bunábhair: léamh, scríobh agus uimhríocht.

rack

    Everything has gone to ~ and ruin.
    D'imigh gach uile shórt chun raice.

    I ~ed my brains over it.
    Thuirsigh mé m'intinn leis.

rag

    He lost his ~.

Chaill sé a ghuaim air féin.
I wouldn't wear that ~.
Ní chuirfinn an cheirt sin ormsa.
I felt like a wet ~. Bhí mé gan spionnadh gan spréachadh.
It was a red ~ to a bull.
Bhí sé cosúil le ceirt dhearg roimh tharbh.
I put on my Sunday glad ~~s.
Chuir mé mo bhalcaisí Domhnaigh orm féin.

rage

    It's all the ~ now!
    Níl ann anois ach é!

rail

    He went off the ~s.
    D'imigh sé leis an craobhacha.

rain

    In a couple of days you'll be as right as ~.
    I gceann cúpla lá beidh tú ar fheabhas an domhain.
    It is ~ing cats and dogs.
    Tá sé ag caitheamh sceana gréasaí.
    It never ~s but it pours.
    Nuair a thig cith, tig balc.
    He'd be out there selling the papers hail, ~ or shine!
    Bheadh sé amuigh ansin ag díol na nuachtán soineann
    agus doineann.
    to put some money aside for a ~y day
    airgead a chur ar leataobh le haghaidh na coise tinne

raise

    to ~ one's voice
    do ghlór a ardú
    I don't want to ~ your hopes.
    Ní theastaíonn uaim do dhóchas a mhúscailt.

rake

    He was as thin as a ~. Bhí sé chomh tanaí le cú.
    They are raking in the money.
    Bíonn siad ag carnadh airgid.
    What's the use in raking up the past?!
    Cén mhaith seancairteacha a tharraingt anuas?!

rally

    His friends rallied round him.

    Chruinnigh a chairde thart air.

ram

    He's always trying to ~ home the fact that he's a professor.

    Bíonn sé i gcónaí ag iarraidh a chur abhaile gur ollamh é.

rampage

    They were on the ~.

    Bhí siad ag imeacht as a gcranna cumhachta.

random

    to choose people at ~

    daoine a roghnú gan aird

    He fired a ~ shot.

    Chaith sé urchar an daill.

rank

    the ~ and file members na gnáthbhaill

    to close ~s na ranganna a dhúnadh

ransom

    He held his employees to ~ by threatening closure.

    Chuir sé scian le scornach a chuid fostaithe ag bagairt dúnadh.

rant

    ~ ing and raving ag callaireacht is ag radaireacht

rap

    He was given ~ on the knuckles. Tugadh rabhadh dó.,

    Tugadh cniog ar ailt na méar dó mar rabhadh.

    I had to take the ~ for it. Bhí ormsa íoc as.

rare

    You gave me a ~ old fright.

    Thug tú scanradh ar fónamh dom.

    We're all ready and raring to go.

    Táimid go léir réidh agus ar bís chun imeachta.

rat

    He'll ~ on us.

    Braithfidh sé orainne., Sceithfidh sé orainne.

    the ~ race saol na madraí allta

    I smell a ~ here! Tá boladh bréan as seo!

rate

at any ~ ar aon nós
at that ~ dá réir sin
We'll never finish at this ~.
Ní chríochnóidh muid choíche má théann an scéal
ar aghaidh mar seo.

raw

    nature in the ~ an nádúr gan maisiú
    We're having ~ weather. Bíonn glasaimsir againn.
    ~ material bunábhar

razor

    ~ -sharp wit deisbhéalaí fhaobhrach ghéar
    She has a ~-sharp tongue. Tá faobhar ar a teanga.
    (see also: sharp)

read

    You shouldn't ~ too much into it.
    Ní cóir an iomarca brí a chur ann.
    I can ~ you like a book!
    D'aithneoinn an smaoineamh is uaigní i do chroí.
    I could ~ between the lines.
    D'fhéadfainn léamh idir na línte.,
    Bhí mé ábalta an chiall cheilte a bhaint as.
    I ~ up on it before the exam.
    Rinne mé léitheoireacht air roimh an scrúdú.
    You can take it as ~. Is féidir talamh slán a dhéanamh de.
    ~y, steady, go! Réidh! ar aghaidh!

real

    Is he for ~?! An bhfuil seisean i ndáiríre?!
    Get ~! Cuir uait an taibhreamh!
    It's the ~McCoy! Is é an rud féin é!
    ~ly and truly! Dáiríre píre!

rear

    the ~ guard an cúlgharda
    Then the Great Famine ~ed its ugly head.
    Ansin d'éirigh an Gorta Mór ina uaiféaltas.

reason

    All the more ~ to do it! Amhlaidh is córa é a dhéanamh!
    for no ~ at all gan chúis gan ábhar
    I have good reason to believe he was also involved

Tá údar maith agam le creidiúint go raibh seisean páirteach ann freisin.

She is upset and not without good ~.
Tá sí buartha agus ní gan cúis mhaith bheith aici.

She will not listen to ~. Ní éistfidh sí le ciall.

He won't see ~. Ní féidir aon chiall a chur ina cheann.
Ní thiocfaidh sé chun cadairne.

It stands to ~. Luíonn sé le réasún.

within ~ gan dul thar fóir ar fad

rebuff

He met with a ~. Fuair sé gonc.

reckon

I ~ you're right. Déarfainn go bhfuil an ceart agat.

to the best of my ~ing
ar feadh m'eolais

record

to break the ~ an churiarracht a shárú

She holds the ~. Tá an mhír mhullaigh aici siúd.

I'd like to set the ~ straight.
Ba mhaith liom aon mhíthuiscint faoin scéal a scaipeadh.

off the ~ go neamhoifigiúil, eadrainn féin

red

She was caught ~ -handed. Rugadh maol uirthi.

It makes me see ~. Cuireann sé ar mire mé.

~ tape an téip dhearg

~s under the beds cumannaigh sa ghairdín cúil,
reacaireacht an uafáis

With smoke rising from the volcano, the whole village was put on ~ alert. Le deatach ag éirí as an bholcán, bhí an sráidbhaile go léir san airdeall dearg.

He's a ~ -blooded American. Is Meiriceánach groí scafánta é.

That's a ~ -herring. Is scéal thairis é sin.

That will be a ~ -letter day for him.
Sin lá a gcuirfear eang ina ghabhal dó.

redeeming

That's his only ~ feature.
Sin an t-aon tréith chúiteach/ dhearfa atá aige.

redress

to ~ **the balance** an chothromaíocht a athbhunú

He had no legal ~. Ní raibh aon sásamh dlí ar fáil dó.

reed

She's leaning on broken ~.

Tá sí ag iarraidh taca a bhaint as sifín.

refresh

Let me ~ your memory!

Lig dom do chuimhneamh a athmhúscailt duit!

It was a ~ing idea. Ba smaoineamh é a d'athbheodh thú.

refusal

I got a flat ~. Tugadh diúltú glan dom.

regard

in this ~ maidir leis seo

Give my (kind) ~s to your family!

Beir mo dhea-mhéin chuig do mhuintir!

region

in the ~ of a million Euro amach is isteach ar mhilliún Euro

regular

as ~ as clockwork bonn ar aon

He's a ~ hero! Is fíorlaoch é!

Reilly

He has the life of ~! Bíonn saol an mhadra bháin aige!,
Bíonn saol Uí Rathaille aige siúd!

rein

She was given free ~. Tugadh cead a cinn di.

She kept a tight ~ on him. Choinnigh sí srian docht air.

relief

I heaved a sigh of ~.

Lig mé osna faoisimh asam.

What a ~! Nach mór an faoiseamh (dom) é sin!

relieve

The Luas ~s traffic congestion.

Maolaíonn an Luas ar an mbrú tráchta.

I'm ~d to hear it.

Is mór an faoiseamh dom é a chloisteáil.

religion

He got ~. D'iompaigh sé chun reiligiúin.

repeat

I don't want to have to ~ myself.

Ní theastaíonn uaim é seo arís!

~! Arís!

reputation

He has that ~. Tá sin amuigh air.

He has a ~ for being a heavy drinker.

Tá ainm an phótaire air.

to ruin his/her ~ a chlú/ a clú a mhilleadh

repute

place of ill - ~ áit a bhfuil drochainm air

reservation

She accepted to the proposal but with certain ~s.

Ghlac sí leis an tairiscint ach ar chuntair áirithe.

I can accept that without ~.

Is féidir liom glacadh leis sin gan aon chuntar.

with this one ~ ach an t-aon agús amháin seo

He was brought up on an Indian ~.

Tugadh suas é ar chaomhnú Indiach.

reserve

He's very ~d. Is duine dorcha é.

I kept some money in ~.

D'fhág mé beagán airgid mar chúltaca agam.

resort

There is absolutely no need to ~ to violence.

Níl call ar bith dul i muinín an fhoréigin.

As a last ~ I spoke with the headmaster.

Mar iarracht dheiridh labhair mé leis an ardmháistir.

holiday ~ ionad saoire

respect

Old age is no ~er of persons!

Is ionann íseal agus uasal ag an mbás!

He is no ~ er of persons. Ní thugann sé fabhar do dhuine ar bith., Is ionann íseal agus uasal aige.

in many ~s ar mhórán bealaí

in every ~ ar gach bealach

in this ~ sa tslí seo

in some ~s ar bhealaí áirithe

I have come to pay my ~s to your father.
Tháinig mé le mo dhea-mhéin a chur in iúl do d'athair.
out of ~ for you le meas ortsa

rest

The kite came to ~ on top of a tree.
Tháinig an eitleog chun suí ar bharr crainn.
at eternal ~ faoi shuaimhneas síoraí
He was laid to ~ in Dingle cemetery.
Adhlacadh i reilig an Daingin é.

return

on my ~ home ar theacht abhaile dom
by ~ of post le casadh an phoist
I'll baby-sit and in ~ you can help me with my homework.
Tabharfaidh mise aire do na páistí/ don pháiste agus ina
chúiteamh sin is féidir leat cabhrú liom le m'obair bhaile.
on sale or ~ le díol nó le cur ar ais
~ match cluiche comhair

rhyme

without ~ or reason gan fáth gan ábhar

rich

That's a bit ~ coming from you!
Nach tusa an pota ag aor ar an gciteal!
**I think a bit ~ of the government trying to blame the
opposition.** Is iomarcach ar fad, dar liomsa, don rialtas
bheith ag iarraidh an locht a chur ar an fhreasúra.
the nouveau ~e bacaigh ar muin capaill

riddance

Good ~ to him! Bliain mhaith ina dhiaidh!,
Agus nár fhille sé (choíche) go deo!

ride

I'm only along for the ~.
Níl mise anseo ach ar son an spraoi.
She riding high at the moment.
Bíonn gach uile shórt ag dul di ar na saolta seo.
I was taken for a ~. Buaileadh bob orm.

right

All ~! Ceart go leor!
It's only ~ and proper that you should know that. Is é é is lú

is gann gur féidir a dhéanamh duit ná é sin a chur ar d'eolas.

Always do the ~ thing! An ceart i gcónaí!

Am I ~ for Dublin?

An bhfuilim ar an mbóthar ceart go Baile Átha Cliath?

She's not in her ~ mind. Tá cearr uirthi.

It's all ~ for you to laugh! Is réidh agatsa bheith ag gáire!

I was in the ~ place at the ~ time.

Bhí mé san áit cheart agus ann ag an am cheart.

It serves you ~! Bhí sé ag dul duit go dóite!

ring

He's a dead ~er for the Taoiseach.

Is é macasamhail an Taoisigh ina steillbheatha é!

His excuse did not ~ true.

Ní raibh craiceann na fírinne ar a leithscéal.

He's the ~ leader. Is é an ceann feadhain é.

riot

She read him the ~ Act.

Léigh sí Acht na Círéibe dó.

They ran ~. D'imigh siad le scód.

Seán's a ~! Is mór an scléip é Seán!

ripe

She lived to the ~ old age of 98.

Mhair sí go dtí an chnagaois mhaith de nócha a hocht.

rise

the ~ and fall of the Third Reich

Éirí agus titim an Tríú Reich

Prices are on the ~.

Bíonn praghsanna ag ardú.

He rose to the occasion.

Bhí sé inchurtha leis an ócáid.

She has ~n in my esteem.

Is móide mo mheas uirthi.

risk

I don't want to take the ~.

Ní theastaíonn uaim dul san fhiontar.

I'll ~ it. rachaidh mé sa seans leis.

Parking at owner's ~! Páirceáil ar phriacal an úinéara!

He ~ed his neck for me.

Chuir sé a bheo féin i gcontúirt ar mo shonas.

river

> **Cry me a ~ coz I cried a ~ over you.**
> Goil domsa folc mar ghoil mise folc ar do shonsa.
> **They have sold her down the ~.**
> Tá sí díolta acu mar bhanbh i margadh.
> **~s of blood** sruthanna fola
> **There will be ~s of blood as a result.**
> Beidh doirteadh ábhalmhór fola dá dheasca.

road

> **Let's get this show on the ~!** Cuirimis tús leis an ghnó seo!,
> Bainimis an ceann den scéal seo!
> **You'll have one for the ~!** Beidh deoch dorais agat!
> **She's on the ~ to a full recovery.**
> Tá sín ar an mbealach chun a sláinte iomláine arís.
> **A federated Europe is just down the ~.**
> Níl an Eoraip Chónasctha ach síos an bóthar.
> **If you want to annoy him, you're on the right ~.**
> Más mian leat fearg a chur air, tá tú ar an mbealach ceart.

roaring

> **in front of a ~ fire** os comhair craos tine
> **They were doing a ~ trade.**
> Bhí trácht lasta á dhéanamh acu.
> **He was ~ drunk.** Bhí sé ar steallaí (dearga) meisce.

roasting

> **I was ~ in the sun.**
> Bhí an ghrian do mo scalladh.
> **She gave me a ~.** Thug sí léasadh teanga dom.

rob

> **~bing Peter to pay Paul.**
> Cuid an bhodaigh thall ar an mbodach abhus.
> **It's daylight ~bery!**
> Is gadaíocht i lár an lae ghil é!

rock

> **as steady as a ~** chomh daingean le carraig
> **He's off his ~er.** Tá sé tógtha san inchinn.
> **Their marriage is on the ~s.**

Tá a bpósadh ar na carraigeacha.

rod

You're only making a ~ for your own back.
Níl tú ach ag baint slat a sciúrfadh tú féin.

They ruled the people with a ~ of iron.
Bhí daoine á gcoinneáil ar slabhra acu.

rogue

The little ~! An cleasaí beag!

~s' gallery gailearaí na rógairí, áiléar na mbithiúnach

roll

on the ~ of honour ar liosta na laoch

I'm on a ~! Bíonn gach rud ag dul dom!

They are ~ing in money.
Tá siad ar maos in airgead.

A ~ing stone gathers no moss.
Ní bhíonn siúlach sách.

rollicking

We had a ~ time. Bhí tamall scléipeach againn.

Rome

~ wasn't built in a day.
I ndiaidh a chéile a tógadh na caisleáin.

When in ~ do as the Romans!
Fág an tír nó bí san fhaisean!

roof

He'll hit the ~ when he finds out.
Éireoidh sé ó thalamh nuair a gheobhaidh sé amach.

The room is not much to look at but it's a ~ of my head.
Níl mórán ann le feiceáil mar sheomra, ach is dídean dom
ó stoirm an tsaoil é.

The noise nearly lifted the ~.
Is beag nár thóg an torann an ceann den teach.

room

There's no ~ for error here.
Ní féidir earráid dá laghad a dhéanamh anseo.

There's ~ for improvement.
D'fhéadfaí bheith níos fearr.

(see also: cat)

roost

The chickens are coming home to ~ now.
Tá an feall ag filleadh ar an bhfeallaire anois.
She rules the ~. Ise an máistir sa teach.

root

Her difficulties are ~ed in her extreme feminism.
Bíonn a cuid deacrachtaí fréamhaithe ina feimineachas
antoisceach.
I was ~ed to the spot. D'fhan mé ansin i mo staic.
grass ~ support tacaíocht an mhórshlua, taca na mórchoda

rope

Talk to Megan, she knows the ~s.
Labhair le Megan, tá fios an ghnó (ina iomláine) aici siúd.
The job is easy enough when you get to know the ~s.
Tá an jab éasca go leor nuair a éiríonn tú oilte air.
It money for old ~. Is airgead éasca é.
They tried to ~ me in as well. Rinne siad iarracht mise
a tharraingt isteach sa ghnó freisin.

rose

I didn't promise you a ~ garden. Níor gheall mé leaba
róis duit!, Níor gheall mé saol an mhadra bháin duit.
It is no bed of ~s. Ní leaba róis é., Ní rós gan dealg é.,
Ní saill gan fiacha é.
Where is there a ~ without a thorn?!
Ní bhíonn sméara gan dealg.
A ~ by any other name would smell as sweet.
Más báisteach nó fearthainn fásfaidh na fearainn.
to see the world through ~-coloured spectacles
féachaint ar an saol trí spéaclaí róis

rough

the ~ and tumble of politics
cora agus castaí na polaitíochta
You've got to take the ~ with the smooth.
Caithfidh tú an saol a ghlacadh mín agus garbh.
His speech was a bit ~ and ready.
Bhí a óráid pas beag sleamhchúiseach.
He's a bit of a ~ diamond.
Tá iarracht den gharbhánach ann.
We were sleeping ~.

Chodlaíomar amuigh.
We had to ~ it.
B'éigean dúinn an cruatan a fhulaingt.

round

She went ~ the bend. Chuaigh sí le gaoth na gcnoc.
There was not enough to go ~.
Ní raibh riar an iomláin ann.
She's an all ~er. Is féidir léi a lámh a chasadh ar aon rud.
Don't beat ~ the bush! Ná bí ag teacht thart ar an scéal!

row

'~, ~, ~ your boat, gently down the stream,
Merrily, merrily, merrily, merrily, life is but a dream!'
'Rámhaígí, rámhaígí, rámhaígí beo síos le sruth bhur mbád,
Dámhaígí, dámhaígí, dámhaígí-ó, nach maireann an saol i bhfad!'
in a ~ i líne

rub

She ~bed him up the wrong way.
Tháinig sí in aghaidh an tsnáithe air.
to be ~bing shoulders with the rich and famous
bheith i gcomhluadar le lucht an tsaibhris agus clú
Perhaps her good manners might ~ off on him.
B'fhéidir go dtiocfaidh seisean faoi anáil a dea-bhéasa.
Don't be ~bing salt in the wound. Ná bí ag caitheamh
salainn ar chréacht oscailte!, Ná saill é!
There's the ~! Sin é an fhadhb!

rubbish

Don't be talking ~! Ná bí ag caint raiméise!

ruffle

He ~d her feathers.
Bhain sé dá cothrom í.
Nothing ever ~s him.
Ní féidir corraí a bhaint as.

rug

She's pulled the ~ from under me.
Bhain sí an ghaoth de mo sheol.
~s' gallery gailearaí na rógairí, áiléar na mbithiúnach

rule

She's never late as a ~. De ghnáth ní bhíonn sí déanach.

~s are made to be broken.
Ní bhíonn riail ann gan eisceacht.
It's against the ~s. Tá sé in aghaidh na rialacha.
as a ~ of thumb mar riail láimhe
That is the golden ~. Sin é an tsár-riail.
We cannot ~ out that possibility. Ní féidir linn a chur as an áireamh go bhféadfadh sin bheith amhlaidh.
Home ~ Rialtas Dúchais

run

on the ~ ag teitheadh
He gave me a ~ for my money in that race.
Thug sé orm allas fola a chur sa rás sin.
I had a ~ of luck. Bhí an t-ádh ina rith orm.
in the long ~ i ndeireadh na dála
There was a ~ on the pound.
Bhí rith ar an bpunt.
I ran like the dickens.
Rith mé an méid a bhí i mo chorp.
It ~s in his family. Tá sé i bhfuil a mhuintire.
The engine is ~ning.
Tá an t-inneall ar siúl.
That's how the story ~s. Sin an rud a deirtear.
She ran me off my feet. Bhain sí lúth na gcos díom.
Could you ~ your eye over it?
An bhféadfá do shúil a chaitheamh air?
My eyes were ~ning.
Bhí uisce le mo shúile.
I have a ~ny nose. Tá sileadh le mo shrón.
He was ~ning a high temperature.
Bhí teocht ard air.
~ along! Imigh leat!
He doesn't like his teachers and he's always ~ing the school down. Ní maith leis na múinteoirí agus bíonn sé i gcónaí ag caitheamh anuas ar an scoil.
I found myself ~ning into difficulties with it.
Fuair mé go raibh mé ag titim i gcruachás dá dheasca.
My visa has ~ out. Tá mo víosa caite.

I have ~ out of tea. Táim rite as tae.

rush

I am ~ed off my feet as a result of it.
Táim bainte de mo chosa dá bharr.

in the ~ hours sna tráthanna brúite

rut

I'm in a ~. Bím ag treabhadh an iomaire chéanna i gcónaí.

to get out of a ~ éirí as an rud is gnáth,
droim láimhe a thabhairt don seanchleachtadh

S

sack

I got the ~.
Tugadh bata agus bóthar dom.

sacred

the ~ cow an bhó bheannaithe

safe

It's ~ and sound. Tá sé slán sábháilte.

D'imigh gach uile shórt chun raice.

I'll keep him ~. Coinneoidh mé ar láimh shábháilte é.

We had better play it ~.
Ba chóir dúinn cluiche faichilleach a imirt.

Let's be on the ~ side. Fanaimis amach ón mbaol.

in order to be on the ~ side
le fios nó le hamhras, ar eagla na heagla

There's ~ty in numbers. Ní neart go teacht le chéile.

sail

It will be plain ~ing from here on in.
Beidh an bealach go bog réidh as seo amach.

She's ~ing a bit close to the wind!
Nach ise atá ag rith ar thanaí!,
Nach lom ar an ngaoth atá sise (ag dul)!

That took the wind out of his ~s.
Bhain sin an ghaoth dá sheolta.

saint

He would try the patience of a ~!
Chuirfeadh sé a chiall ar mhuin d'aingeal

sake

For God's ~! Ar son Dé!

for the ~ of peace de ghrá an réitigh

for old time's ~ i gcuimhne na seanlaethanta

It's just talking for talking's ~.

Níl ann ach caint ar son na cainte.

salt

He is the ~ of the earth. Is é salann na talún é.

He's not worth his ~. Ní fiú a chuid é.

I took it with a pinch of ~. Níor shlog mé gan chogaint é.

Samaritan

the good ~ An Samáireach fónta

same

The ~ to you! Gurab amhlaidh duit!

the very ~ thing an rud ceannann céanna

It's all the ~. Is ionann an cás é.

It's all the ~ to me. Is cuma liomsa.

It's the ~ with me. Is mar an gcéanna agamsa é.

She's the ~ as you. Tá sí ar do chuma féin.

I'm tired all the ~. Tá tuirse orm mar sin féin,

at the ~ time ag an am céanna

I'm leaving today. - ~ here!

Táim ag imeacht inniu. – Mise freisin!

I met our old history teacher . She's the ~ as ever!

Bhuail mé lenár seanmhúinteoir staire.

Tá sí go díreach mar a bhí!

sand

as happy as a ~~boy chomh meidhreach le giúróg

to build your house on ~

do theach a thógáil ar ghaineamh

They were as numerous as the grains of ~ on the shore.

Bhí siad chomh fairsing le gaineamh na trá.

The ~-man has come.

Tá Seán Ó Néill tagtha.

sardines

packed in like ~

chomh brúite isteach le scadáin i mbairille

sausage

What did they give you? – Not a ~!

Cad a thug siad duit? – Faic na fríde!

save

    ~ your breath! Tá tú ag cur do chuid cainte amú!

    He was ~d by the bell. Shábháil cling an chloig é.

    She did it to ~ face.

    Rinne sí é ar mhaithe le clú.

    Megan ~d the day. Rug Megan bua ar an lá.

    I could have ~d you the trouble.

    D'fhéadfainn tú a shábháil ar an trioblóid.

sauce

    What's ~ for the goose is ~ for the gander.

    Ní faide gob na gé ná gob an ghandail.

    Hunger is the best ~. Is maith an t-anlann an t-ocras.

say

    Have you nothing to ~ for yourself?!

    Nach bhfuil faic le rá agat féin?!

    She has a lot to ~ for herself.

    Tá neart le rá aici siúd!

    There is much to be said for it.

    Is iomaí bua atá aige.

    There is something to be said for it.

    Níl sé gan fiúntas ar fad.

    That doesn't ~ much for your intelligence.

    Ní deir sin mórán faoi d'éirim aigne.

    You don't ~! Ní féidir é!

    Didn't I ~ so! Nach mise a dúirt é!

    Well, let's ~ you're right.

    Bhuel, abraimis go bhfuil an ceart agat.

    Well said! Sin é an chaint!

    What would you ~ to a game of cards?

    Cad a déarfá le cluiche cártaí?

    She was here last night, that is to ~, Thursday.

    Bhí sí anseo aréir, sé sin le rá, (an) Déardaoin.

    If you need a lift – just ~ the word!

    Má tá síob de dhíth ort – ní gá ach an focal uait!

    There's no ~ing what he'll do.

    Ní féidir a rá cad a dhéanfaidh sé.

    That goes without ~ing.

Tá sin intuigthe., Ní call fiú é sin a rá.

I wouldn't ~ no to a beer.
Ní bheinn in aghaidh beorach.

You can ~ that again! Cloisim arís uait é sin!

scale

on a large ~ ar mhórchóir

on a small ~ ar mhionchóir

according to ~ de réir scála

That tipped the ~s in his favour. Thug sin an faobhar dó.

scarce

I'd better make myself ~! Greadfaidh mé liom!

Make yourself ~! Gread leat!

scare

You all but ~d the living daylights out of me.
Is beag nár bhain tú an t-anam asam.

I was ~d stiff. Bhí mé as mo chiall le heagla.

scene

behind the ~s ar an gcúlráid

The police came on the ~.
Tháinig na póilíní ar an láthair.

I didn't want to make a ~.
Níor theastaigh uaim aonach a dhéanamh.

Pop music is not my ~.
Ní oireann an popcheol domsa.

scent

The Gardaí were thrown off the ~.
Cuireadh na Gardaí ar seachrán.

schedule

Everything went to ~.
Chuaigh gach uile shórt de réir mar a bhí beartaithe.

The plane is ~d to take off at four o'clock.
Tá an t-eitleán le himeacht ar a ceathair a chlog.

school

She belongs to that ~ of thought.
Baineann sise le lucht na tuairime sin.

He's one of the old ~. Is duine den seandream é.

the old ~ tie carbhat na seanscoile

score

He knows the ~ here.
Is eol dó go maith cad tá i bhfiontar anseo.
On that ~ you can rest easy.
Is féidir leat codladh go sámh ar an gcluas sin.
There is no gain in trying to settle old ~s.
Níl tairbhe ar bith bheith ag iarraidh cúiteamh
seanachrainn a bhaint amach.
What's the ~ with the new principal?
Cad é an chraic/ an scéal leis an bpríomhoide nua?

scot
He got off ~ free. Thug sé na haenna leis slán sábháilte.

scrape
**They were scraping the barrel when they made that
fool captain.** Bhí siad ag screamhaireacht ar fad nuair
rinne siad captaen den amadán sin.
I managed to ~ the money together for a holiday.
D'éirigh liom dornán airgid a chonlú le haghaidh saoire.
He just managed to ~ through the Leaving Certificate.
Is ar éigean a d'éirigh leis san Ardteistiméireacht.
I've been in some tight ~s in my time.
Is iomaí cruachás ina raibh mé le mo linne.

scratch
You ~ my back and I'll ~ yours. Ardaigh ormsa agus
ardóidh mé ortsa!, Níonn lámh lámh eile.
We'll have to start from ~.
Caithfimid tosú ag an scríobhlíne.
He was able to bring the bike up to ~.
Bhí sé ábalta an rothar a chur i bhfearas go maith.
Your work isn't up to ~.
Níl do chuid oibre ag cruthú go maith.
He came through the war without a ~.
Tháinig sé tríd an chogadh gan cleite a chailleadh.

screw
She has a ~ loose. Tá boc mearaí uirthi.
They tightened/ put the ~s on him.
Chuir siad faoi luí na bíse é.
He ~ed his face into a smile.
Chuir sé strainc ar a aghaidh chun gáire a dhéanamh.

scrimp

    I ~ed and save to buy the tickets.
    Rinne mé spáráil agus coigilt chun na ticéid a cheannach.

sea

    I am completely at ~. Tá gach rud sa mhuileann orm.
    He hasn't got his ~ legs yet. Níl na cosa báid air fós.
    out at ~ amuigh i lár na farraige móire,
    amuigh ar an bhfarraige mhór
    The ~ is heavy. Tá an fharraige ramhar.

seal

    I gave it my ~ of approval. Thug mé mo chead dó.,
    Bhí sé ceadaithe agam.

seamy

    the ~ side of life an taobh suarach den saol,
    suarachas an tsaoil

search

    ~ me! Ná fiafraigh díomsa!

season

    the off ~ an séasúr díomhaoin
    the silly ~ an séasúr amaideach
    the high ~ an séasúr gnóthach

second

    Wait a ~! Fan nóiméad!
    Driving is ~ nature to her now. Bíonn an tiomáint anois
    mar a bheadh sé as broinn léi anois.
    He came in a good ~.
    Bhí sé sna sála ar an gcéad duine.
    in a split ~ i bhfaiteadh na súl
    She is ~ to none. Níl éinne ann lena sárú.
    He's the ~ best. Is é an dara duine is fearr.
    ~ -class citizen saoránach den dara grád
    ~ -hand car carr ar athlámh
    ~ -hand news scéal scéil
    ~ -rate book leabhar den dara sraith
    I was having ~ -thoughts.
    Bhí mé ag déanamh athsmaoineamh air.

secret

    in ~ faoi rún

~ **door to another world** doras folaithe go domhan eile

It's an open ~.

Tá a fhios ag an saol mór faoi sin.

secure

>**Now we can feel ~.**
>
>Níl aon bhaol anois orainn.
>
>~ **from attack** slán ar ionsaí

security

>**social ~** slándáil shóisialta

see

>**I'll be ~ing you!**
>
>Feicfidh mé thú!
>
>**I'm not fit to be ~n.** Níl mé insúl.
>
>**as far as your eye can ~** fad d'amhairc
>
>**as far as I can ~** chomh fada le mo thuiscint
>
>**I'll ~ you to the door.** Rachaidh mé chun an dorais leat.
>
>**I don't ~ the point.** Ní léir dom an pointe.
>
>**I saw him off at the station.**
>
>D'fhág mé slán leis ag an stáisiún.
>
>**I ~.** Tuigim., Feicim.
>
>**Do you ~?** An dtuigeann tú?, An bhfeiceann tú?
>
>**This is how I ~ it.** Seo mar a fheictear domsa é.
>
>**Let me ~!** Fan go bhfeicfidh mé!
>
>~ **for yourself!** Breathnaigh féin go bhfeicfidh tú!
>
>**Will you do it? – I'll ~ about it.**
>
>An ndéanfaidh tú é? Déanfaidh mé machnamh air.
>
>**You should ~ the matter through to the end.**
>
>Ba chóir duit an gnó a chur chun críche.
>
>**I'll ~ it through (to the bitter end).**
>
>Rachaidh mé go bun an angair leis.
>
>**It must be ~n to at once!**
>
>Ní mór féachaint chuige láithreach.
>
>**I'll ~ to it.** Breathnóidh mise ina dhiaidh.
>
>~**ing is believing!** Déanann feiceáil fírinne.
>
>~**ing that we were late, we took a taxi.**
>
>Ós rud é go rabhamar déanach, thógamar tacsaí.

seed

>**The town has totally gone to ~.** Tá an baile imithe chun

donais ar fad., Tá an baile rite as a cineál ar fad.

seize

> to ~ **an opportunity** deis a thapú
> **The engine has ~d up.**
> Tá an t-inneall stalctha.

self

> *(in positive sense)* **She is ~~possessed.** Is duine stuama í.
> **She is very ~~righteous.** Bíonn sí an-cheartaiseach inti féin.
> *(see also: shadow)*

sell

> **The book is ~ing well.**
> Bíonn ráchairt mhaith ar an leabhar.
> **best ~er** leabhar móréilimh
> **She sold him out.** Rinne sí é a bhrath.

send

> **She got a great ~ -off.**
> Rinneadh comóradh mór léi agus í ag imeacht.
> **I was sent news about it.** Cuireadh scéala chugam faoi.
> **It sent a shiver down my spine.**
> Chuir sé drithlíní le mo dhroim.
> **The doctor was sent for.** Cuireadh fios ar an dochtúir.
> **In her new book, she ~s up Irish politicians.** Ina leabhar nua,
> déanann sí ceap magaidh de pholaiteoirí de chuid na hÉireann.

senior

> ~ **citizens**
> saoránaigh shinsearaigh
> **the ~ pupils** na sinsearaigh

sense

> **common ~** ciall cheannaithe
> **She has no ~.** Níl ciall ar bith aici.
> **Talk some ~!** Bíodh ciall éigin agat!
> ~ **of anger, joy, injustice, etc..**
> mothú feirge, áthais, éagóra, etc..
> **Where's your ~ of humour?!**
> Arae, tar ar acmhainn grinn!
> **the five ~s** na cúig céadfaí

Have you taken leave of your ~s?
Ar chaill tú do chiall (is do chéadfaí)?
That brought him to his ~s.
Mhúscail sin an chiall ann., Thug sin ciall dó.

serve

if my memory ~s me right más buan mo chuimhne
Are you being ~d? An bhfuiltear ag freastal ort?
The fax ~d its purpose at that time.
Rinne an facs an gnó faoin am sin.
It ~s many purposes. Is iomaí feidhm atá le baint as.

service

At your ~!
faoi do réir!
Can I be of any ~ to you?
An bhféadfainn aon chabhair a thabhairt duit?
Peig was in ~.
Bhí Peig in aimsir.
the civil ~ an státseirbhís

set

the smart ~
an dream galánta
the literary ~
lucht léinn
He is ~ on it.
Tá a chroí istigh ann., Tá sé meáite air.
She is dead ~ against it.
Tá sí go géar ina aghaidh.
He's very ~ in his ways.
Ní féidir leis ach an iomaire chéanna a threabhadh.
She has her sights ~ on being a doctor.
Tá sé leagtha amach aici bheith ina dochtúir.
He was ~ up. Cuireadh cluain air.
They ~ to work on building a bridge.
Luigh siad isteach ar thógáil droichid.
I wanted to ~ everything right.
Theastaigh uaim gach rud a chur i gceart.

settle

177

They ~d down in Cork.
Chuir siad fúthu i gCorcaigh.
Marriage made him ~ down.
Chuir an pósadh stuaim air.
~ it amongst yourselves!
Socraígí eadraibh féin é!
~ down boys! Maolaígí é, a bhuachaillí!
That ~s it! Ní beag sin!
I have a score to ~ with him.
Tá cúis amuigh agam air
(see also: score)

seven

I am all at sixes and ~s today.
Táim ar nós na beiche (mire) inniu.
I was in ~th heaven. Bhí mé sa ghlóire ar fad.

sewn

Have you *(pl)* made a contract yet? – Yes, it's all ~ up.
An ndearna sibh conradh fós? – Rinne, beart i gcrích é!

shack

to ~ up with another person dul i dtíos le duine eile
They were ~ed up together for years.
Bhí siad i gcomhthíos lena chéile le blianta.

shade

It's a ~ too long. Tá sé beagáinín beag ró-fhada.
Her singing puts me in the ~.
Baineann an tslí a chanann sí an bláth díomsa.
temperature in the ~ teas ar an scáth
I like the ~s. Is maith lion na gloiní gréine.

shadow

He is only a ~ of his former self.
Níl ann ach scáil dá raibh ann uair.
the ~ of death scáil an bháis
~ cabinet comhaireacht chúil
The FBI ~ed him for months.
Lean an FBI sna sála air le míonna.

shady

the ~ side if politics

an taobh dhorcha den pholaitíocht

shaggy

~~**-dog-story** scéal fada le eireaball (gruagach),
scéal fada féasógach, scéal a bhfuil bundún air

shake

She's no great ~s. Níl sí thar mholadh beirte.

~ a leg! Corraigh cos leat!

It has ~n me badly. Bhain sé croitheadh maith asam.

I was shaking in my shoes. Bhí mé ar crith i mo chraiceann.

I can't ~ off this cold.
Ní féidir liom an slaghdán seo a chur díom.

shaky

You're on ~ ground there. Tá tú ag rith ar thanaí.

My legs are a bit ~ today.
Tá na hioscaidí ag lúbadh fúm inniu.,
Tá na cosa go creathach fúm inniu.

shame

What a ~! Nach mór an trua é!

~ on you! Mo náire thú!

It's a crying ~! Is mór an scannal é!

You have put me to ~. Tá mé náirithe agat.

It would be a ~ to waste it.
Ba mhór an náire é a chur amú.

Have you no ~!
Nach bhfuil ciall ar bith do náire agat?!

shank's

I went there on/by ~ mare *(i.e. I legged it there.)*
Rinne mé é a chrágáil de shiúl na gcos.

shape

She'll knock him into ~.
Cuirfidh sise an chaoi cheart air., Cuirfidh sise bail air.

My hat is out of ~. Tá mí-chuma ar mo hata.

You'll have to ~ up! Caithfidh tú bail a chur ort féin.

Our plans ar beginning to take ~.
Tá cruth éigin ag teacht ar ár bpleananna.

There will be no communication in any ~ or form! Ní
bheidh cumarsáid de chineál ar bith, dubh, bán ná riabhach!

share

~ **and** ~ **alike!**
Mo chuid, do chuid roinnimis le chéile!

sharp

Her powers of observation are razor ~.
Ní éalaíonn aon rud óna súil ghrinn.

Every word she spoke to me cut ~ as a razor.
Chuaigh gach uile fhocal a dúirt sí liom go beo ionam.

She has a razor-~ tongue. Tá teanga bhinbeach uirthi.,
Tá faobhar ar a teanga.

~ **practice** camastaíl

(see also: razor)

sheep

I might as well be hanged for a ~ as for a lamb!
Ó loisc mé an choinneal, loiscfidh mé an t-orlach!

She looked at him with ~ -eyes.
Chaith sí súil na glasóige air.

He was the black ~ of the family.
Ba é an coilíneach é.

They follow him like ~.
Leanann siad é ar nós lachan.

to separate the ~ from the goats
na caoirigh a scaradh ó na gabhair

sheet

as white as a ~
chomh bán le mo léine

shelf

She didn't want to be left on the ~.
Níor theastaigh uaithi bheith caite i gcártaí.

~ **-life** seilfré

shell

He came out of his ~.
Fuair sé a theanga leis.

She ~ed out for the whole trip.
D'íoc sí an scór as an turas go léir.

shift

to do ~ work sealaíocht a dhéanamh
seven hour ~ seal seacht n-uaire

shine

I took a ~ to him.

Thaitin sé liom.

ship

on board ~ ar bord loinge

when my ~ comes in nuair a bhéarfaidh mo bhó agam

Everything is ~ -shape. Tá gach rud gafa gléasta.

Don't spoil the ~ for a ha'p-worth of tar!

Ná caill an punt de dheasca na pingine!

shirt

Keep your ~ on! Ná caill do chiall!, Tóg go bog é!

in his ~ sleeves i gcabhail a léine

shivers

Even the idea of spending an evening in his company
gives me the ~. Cuirtear drithlíní fuachta liom fiú ag
smaoineamh ar oíche a chaitheamh ina chomhluadar.

shoe

We were living on a ~ -string.

Bhíomar ag maireachtáil ó láimh go dtí an béal.

If the ~ fits, wear it! Caith an bhróg má oireann sé duit!

if I were in your ~s dá mba mise tusa

shoot

He was ~ing his mouth off in the pub.

Bhí a bhéal scaoilte air sa tábhairne.,

Bhí béal chomh mór le Doire air sa tábhairne.

If you do that you're only ~ing yourself in the foot.

Is tusa an cailliúnaí má dhéanann tú é sin.

to ~ up drugaí a chaitheamh

the whole ~ na mangaisíní go léir

shop

The room is in a complete mess – books, clothes all
over the ~! Tá an seomra trína chéile ar fad – leabhair,
éadaí scaipthe ar fud an bhaill!

You'll have to ~ around to find a reasonable mortgage.

Caithfidh tú cuardach timpeall chun morgáiste réasúnta a fháil.

They are talking ~. Tá caint ar chúrsaí gnó ar siúl acu.

Let's stop talking ~!

Cuirimis uainn caint den cheird!

The committee was just a talk- ~.

Ní raibh sa choiste ach ionad cainte.

short

for a ~ time ar feadh tamaill bhig

It's ~ in the sleeves. Tá sé ró-ghairid sna muinchillí.

I'm ten Euro ~. Tá mé deich Euro easpach.

It's not far ~ of it! Ní fada uaidh é!

I am ~ of money. Tá mé gann in airgead.

I shall be with you ~ly. Beidh mé leat gan mhoill.

He is ~ -tempered. Tá sé teasaí.

We need nothing ~ of a miracle.

Míorúilt amháin a dhéanfadh an gnó dúinn.

shot

He was a big ~ in the States.

Boc mór ea ba é ar an Oileán Úr.

When it comes to pay, the government calls the ~s.

Chomh fada is a bhaineann le pá, bíonn an liathróid
i gcónaí i gcúirt an rialtais., Maidir le pá, is ag an rialtas
a bhíonn an focal scoir.

She was off like a ~. Bhí imithe gan nóiméad moille.,
As go brách léi ar nós urchar as gunna.

**It was a long ~ but I guessed she was at home and I was
right.** Urchar bodaigh i bpoll móna ea ba é ach thug mé
buille faoi thuairim go mbeadh sí sa bhaile agus bhí an
ceart agam.

to fire a ~ across his bows foláireamh a thabhairt dó

~ gun wedding pósadh faoi bhéal gunna

Winning the prize was like a ~ in the arm.

Thug bua na duaise ardú meanman dom.

shoulder

She gave me the cold ~. Dhruid sí an tsúil orm.

He ~s all the responsibility.

Luíonn an fhreagracht iomlán leis-sean.

He has a chip on his ~.

Tá nimh san fheoil aige.

to stand ~ to ~ seasamh gualainn ar ghualainn

Let's ~ this burden together!

Cuirimis ár nguaillí le chéile!

I don't want to be looking over my ~ for the

rest of my life. Ní theastaíonn uaim bheith ag
féachaint i ndiaidh mo ghualainne ar feadh an
chuid eile de mo shaol.

He was head and ~s above the rest.
Bhí an ceann is an guaillí aige ar an chuid eile.

*(see also: **cry**)*

shout

It's all over now bar the ~ ing.
Tá gach rud curtha i gcrích anois seachas an bhéicíl.

Give us a ~ sometime! Tabhair glao orainne am éigin!

He was ~ed down. Bádh a ghlór le gártha agus glaonna.

shove

when push comes to shove
nuair a théann an scéal go bun an angair

~ off! Tóg ort!

show

She never ~ed up again.
Ní raibh tásc ná tuairisc uirthi choíche arís.

She made a ~ of herself.
Rinne sí feic di féin, Rinne sí sceith béil di féin

Could we have a ~ of hands on it?
An bhféadfaimis comhaireamh lámh a dhéanamh air?

The bell is only there now for ~.Níl sa chlog anois ach ornáid.

Good ~! Maith thú!

He was ~ing off. Bhí sé ag gearradh suntais.

He is a big ~ -off. Is mór an fear seó é.

He never ~s up in class.
Ní bhíonn sé choíche le feiceáil sa rang.

It came to a ~ -down.
Chuaigh an scéal go cnámh na huillinne.

I hadn't much to ~ for all my trouble(s)
Ní raibh mórán le fáil agamsa ar mo shaothar go léir.

shrift

She gave him short ~.
Níor thug sí saol práta i mbéal muice dó.

shrugged

She ~ it off. Rinne sí beag is fiú de.

shut

~ up! Dún do bhéal!

shy

She is ~. Tá cotadh uirthi.

He is work ~. Bíonn sé go drogallach roimh obair.

sick

I am ~ and tired of it. Táim bréan dóite de.

It makes me ~. Cuireann sé déistin orm.

He's as ~ as a parrot. Tá sé chomh tinn le cat dóite.

I was worried ~ about you.

Bhí imní an domhain orm mar gheall ort.

~ joke cleas gránna, cleas suarach

side

~ by ~ taobh le taobh

Look at the bright ~ of things!

Féach ar an taobh geal den scéal!

You're only getting one ~ of the picture.

Níl ach taobh amháin den scéal agat.

She got out of the wrong side of the bed this morning.

D'éirigh sí ar a cois chlé maidin inniu.

She is on our ~. Tá sí inár leith., Tá sí ar ár dtaobh-san.

The law is on our ~ Tá an dlí linn.

That is only a ~ -issue . Níl ansin ach fo-scéal.

I wash windows as a ~ -line.

Glanaim fuinneoga taobh leis an bpríomhobair a dhéanaim.

He's the ~ -kick. Is é an fear cúnta é.

I don't want to take ~s here.

Ní theastaíonn uaim taobhú le haon pháirtí anseo.

sieve

I have a memory like a ~. Tá an chuimhne go fíor-lag agam!

sight

I caught ~ of him. Fuair mé amharc air.

I lost ~ of her. Chuaigh sí as mo radharc.

I went to Paris to see the ~s.

Chuaigh mé go Páras chun na hiontais a fheiceáil.

Don't lose ~ of the fact that you have work tomorrow.

Ná lig i ndearmad go bhfuil obair agat amárach.

love at first ~ grá ar an gcéad amharc

Out of ~ out of mind.

184

Seachnaíonn súil ní nach bhfeiceann.
Aren't you a ~ for sore eyes!
Nach tusa an eorna nua thú!
Her dress was a ~! Dá bhfeicfeá an gúna a bhí uirthi!
I know her by ~. Tá aithne shúl agam uirthi.
That's a long ~ better. Tá sin i bhfad Éireann níos fearr.
I can't bear the ~ of him. Is lú orm an sioc ná é.
She has her ~s set on being Taoiseach some day.
Is í an aidhm atá aici ná bheith ina Taoiseach lá éigin.
Hind ~ is no ~. Ní gaois iarghaois.

silence
       ~ is golden! Is binn béal ina thost.
silent
       as ~ as the tomb chomh ciúin leis an uaigh
       She kept ~ about it. Níor lig sí faoina hanáil é.
silk
       as soft as ~ chomh mín le síoda
       *(see also: **purse**)*
silly
       the ~ season an séasúr amaideach
       You're a right ~ -Billy! Is glagaire ceart thú!
silver
       He was born with a ~ spoon in his mouth.
       Bhí an mhaoin as broinn leis.
       Every cloud has a ~ lining. Níor dhún Dia riamh
       doras amháin gan ceann eile a oscailt.
sin
       It's a ~ to be inside the house in weather like this.
       Is mór an peaca é bheith sa teach ina leithéid d'aimsir.
       as ugly as ~ chomh gránna le muc
       original ~ peaca an tsinsir
       mortal ~ peaca marfach
       venial ~ peaca solathach
       the forgiveness of ~s maithiúnas na bpeacaí
since
       ~ when are you an authority on wine?!
       Cé a rinne tusa i do shaineolaí ar an bhfíon?!

singing

She was ~ your praises. Bhí sí do do mholadh chun na spéire.

~ in the ears ceol sna cluasa

~ lesson ceacht amhránaíochta

single

not a ~ one a oiread agus aon cheann amháin

every ~ day gach uile lá

She is ~. Is bean shingil í., Níl sí pósta fós.

Are you ~? An bhfuil tú díomhaoin?

I didn't seen a ~ soul there.
Ní fhaca mé Críostaí ann.

single-handed

He did it ~. Rinne sé é gan cabhair ó éinne.

single-minded

She is very ~. Is duine í nach mbíonn
a haird ach ar an aon chríoch amháin.

sink

In today's world it's ~ or swim!
I saol an lae inniu bíonn ar gach duine treabhadh
as a eireaball féin., Sa domhan inniu ní mór duit
snámh nó dul faoi.

If she finds out – we're sunk.
Má fhaigheann sí amach – tá ár gcnaipe déanta.

My heart sank. Thit mo chroí.

He has sunk in my estimation as a result.
Is lúide mo mheas air dá dheasca.

The patient is ~ing. Tá an t-othar ag dul i laige.

Do you ever get that ~ing feeling.
Ar mhothaigh tú riamh an misneach ag trá.

six

I was at ~es and sevens. Bhí mé ar nós na beiche.,
Bhí mé i mo chíor thuathail ar fad.

It's ~ of one and half a dozen of the other.
Is ionann an cás – an t-éag is an bás.,
Pótaire in ionad meisceora é.,Dhá scilling réal.

He knocked me for ~. Leadhb sé mé.,
Thug sé na físeanna dom.

~th sense an séú céadfa

186

size

> **What ~ do you take in shoes?**
> Cén uimhir a chaitheann tú i mbróga?
> **That's about the ~ of it.**
> Sin é agat anois é.
> **I'll cut him down to ~.**
> Tabharfaidh mise le fios dó.
> **to ~ a person up**
> miosúr an duine a fháil
> **Try that for ~!**
> Conas a thaitníonn sin leatsa?!

skate

> **Get your ~s on!** Cuir bealadh faoi d'ioscaidí!
> **He ~d over the problems.**
> Rinne sé beag is fiú de na fadhbanna.
> **I just ~d through the first chapter.**
> Sciorr mé go tapa tríd an chéad chaibidil.

skeleton

> **The journalists found a few ~s in his cupboard.**
> Fuair na hiriseoirí oil nó dhó san úir aige.
> **~ key** ileochair

skids

> **I told him the boss was coming. That put the ~**
> **under him.** Dúirt mé leis go raibh an saoiste ag
> teacht. Thug sin air a ghualainn a chur leis.

skin

> **She is only ~ and bone.**
> Níl inti ach na cnámha agus an craiceann.
> **I'll ~ him alive!** Feannfaidh mé beo é.
> **He saved his ~.** Thug sé na haenna leis.
> **He had a ~ful.** Bhí lán a bhoilg ólta aige.
> **He's very thin - ~ed.** Is goilliúnach an mac é.
> *(see also: beauty, thick)*

skull

> **the ~ and cross-bones** cloigeann agus croschnámha
> **He's thick - ~ed.** Tá ceann ramhar air.

sky

> **She praised him to the skies.** Mhol sí go rothaí na gréine é,

Mhol sí go hard na speire/ go crannaibh na spéire é.

The building was blown ~ -high. Pléascadh an foirgneamh (suas) sna spéartha/ i smidiríní.

In this game – the ~'s the limit! Sa chluiche seo – níl aon teorainn ann!

slag

Irish people like to ~ one another. Is maith le hÉireannaigh bheith ag déanamh fonóid neamhurchóideach faoina chéile.

He was ~ging her off. Bhí sé ag déanamh fonóide fúithi.

slanging

They were having a ~ match. Bhí siad ag caitheamh maslaí lena chéile.

slap

~ in the face boiseog san aghaidh

She ran ~ bang into me. Rith sí de phleist i mo choinne.

~ bang in the middle of the town plinc pleainc i lár an bhaile

~ -dash work obair amscaí

~ -stick comedy greann ropánta

slate

on the ~ ar cairde

He has a ~ loose. Tá boc mearaí air.

to start with a clean ~ tosú as an nua

He gave her such a slating. Nach í a fuair an íde béil uaidh.

slave-driver

Our history teacher is a ~ -driver. Is tíoránach ar fad ár múinteoir staire.

sleep

I don't lose any ~ over it, I can tell you! Mise duitse, ní chaillim codladh ar bith mar gheall air.

I had a good ~. Chodail mé spuaic mhaith.

I didn't have a wink of ~ last night. Níor chodail mé aon néal oíche aréir.

I slept in. Níor airigh mé dúiseacht.

188

I slept off the head-ache.
Chuir mé an tinneas cinn díom i mo chodladh.

Let ~ing dogs lie!
Ná hoscail doras na hiaróige!

My foot has gone to ~.
Tá codladh grifín i mo cho(i)s.

sleeve

I have a trick or two up my ~ yet.
Tá cárta cúil nó dhó agam fós.

Let's roll up our shirt-~s!
Crapaimis suas ár muinchillí!

slope

Every choice with the ~.
Gach rogha le fána.

Our street is on a ~.
Tá ár sráid le fána.

half-way up the ~
leath bealaigh suas i gcoinne an bhóthair

It ~s up. Tá ard ann.

It ~s down. Tá fána leis.

slow

He's very ~. Tá sé an-dúr.

He is ~ on the uptake. Tá sé fadálach ag tuiscint.

She is ~ to anger. Is doiligh fearg a chur uirthi.

She was not ~ to reply.
Ní raibh aon mhoill uirthi freagra a thabhairt.

in ~ -motion i mallghluaiseacht

I believe in going ~ but sure!
Aigne shuaimhneach a réitíonn snáth dar liomsa!

The clock is ~. Tá an clog mall.

sly

Aren't you the ~ dog?! Nach tusa an codaí ceart?!

He's a real ~ boots! Is é an cílí ceart é!

She did it on the ~. Rinne sí faoi choim é.

smack

~ in the face leiceadar san aghaidh

That ~s of bribery. Tá blas na breabaireachta air sin.

small

She made him look ~. Bhain sí an teaspach de

in a ~ way ar bhealach beag

It's a ~ world! Castar na daoine ar a chéile ach ní chastar na cnoic ná na sléibhte!

~ is beautiful. Binn blas ar an mbeagán.

in the ~ hours i ndeireadh na hoíche

to read the ~ print an mionchló a léamh

Don't be ~ -minded! Ná bí go beag-aigeanta!

~ talk spruschaint

He was a ~ -time thief. Mionghadaí a bhí ann.

She's a ~ eater. Is beag a itheann sí.

smart

Look ~! Cuir cuma ort féin.

Don't be a ~ Aleck! Ná déan cílí díot féin!

(electronic) **~ card** cárta cliste

smash

~-and-grab briseadh agus gadaíocht

It was a ~ -hit! Éiríodh thar cionn leis.

It (was) ~ed into pieces. Rinneadh smidiríní de.

(alcohol abuse) **He was ~ed.** Ní raibh aithne a bheart aige., Bhí sé ar stealladh na ngrást., Bhí sé caoch ar meisce.

smear

(medical) **to have a ~ test** tástáil smearaidh a dhéanamh

to ~ his good name smál a chur a dhea-chlú

smell

That ~s nice. Tá boladh deas air.

That ~s bad. Tá drochbholadh uaidh sin.

Something doesn't ~ right about this affair.

Tá drochbhlas éigin ar an scéal seo.

smile

He was all ~s. Bhí aoibh go dtí na cluasa air.

That'll wipe the ~ of his face.

Bainfidh sin an meangadh gáire dá aghaidh.

smoke

There's no ~ without fire.

An áit a mbíonn deatach, bíonn tine.

Any chances we might have had went up in ~.

D'imigh seans ar bith a raibh ann dúinn amach tríd

an fhuinneog., D'imigh gach seans a bhí againn mar
a bheadh an chaor thine ann.

snail

at a ~'s pace
ar luas seilide

snake

Don't have anything to do with that ~ in the grass.
Ná bíodh aon bhaint agatsa leis an slíomadóir sin.

snap

Make it ~py! Déan go gasta é!, Cuir spionnadh ann!
She ~ped her fingers. Bhain sí smeach as a méara.

sneezed

It's not to be ~ at! Ní haon dóithín é sin!

snow

as pure as the driven ~ chomh glan le sneachta
She hasn't a ~-ball's chance in hell of getting that.
B'fhurasta di fuil a bhaint as tornapa ná é sin a fháil.
I am ~ed under with work.
Tá mé (suas) go dtí an dá shúil le hobair.

so

He's a right ~-and-~!
Suarachán ceart é!
I'm ~~. Táim go measartha.
I'm only ~-~.
Táim cuibheasach gan a bheith maíteach.
~ it seems. Sin an dealramh atá air.
~ to speak mar a déarfá
I expect ~. Déarfainn é.
I hope ~. Leis sin atá mo shúil.
Is that ~? Mar sin é?
That's not ~! Ní fíor sin!
~ be it! Bíodh amhlaidh!, Tá go maith!
How ~? Conas sin?!
~ what?! Nach cuma?!
~ there you have it! *(i.e. that's the way it is)* Seo agat é!
and ~ forth agus mar sin de

soap

a ~ (opera) gallúntraí

sob

She gave him some ~ story and he swallowed it.
Thug sise 'scéal na circe caillte' dó agus shlog sé é.

sober

as ~ as a judge
chomh stuama le breitheamh

sock

Pull your ~s up!
Cuir bealadh faoi d'ioscaidí!
She ~ed him one in the face.
Thug sí greadóg san aghaidh dó.

soft

She has a ~ spot for him. Tá dáimh aici leis.
He has a ~ time of it. Tá saol breá bog aige.
Have you gone completely ~ in the head?!
An leamh ar fad sa cheann atá tú?
She ~ened him up a little.
Bhog sí an croí ann beagáinín.
to ~ -soap a person
an béal bán a thabhairt do dhuine
She was ~ -soaping him.
Bhí sí ag tabhairt an bhéil bháin dó.,
Bhí sí ag cuimilt m(h)eala dó.
Zoe's dad is a ~ touch., Bíonn lámh athar Zoe i gcónaí
ina phóca. Is bog an croí atá ag athair Zoe.
~ weather aimsir bhog

sold

She was completely sold on the idea.
Mheall an smaoineamh go hiomlán mé.
The edition is ~ out. Tá an t-eagrán go léir díolta.
He had been ~ out by them.
Bhí sé díolta (mar mhuc ar aonach) acu.

soldier

I'll just ~ on the best I can.
Sracfaidh mé ar aghaidh leis mar is féidir liom.

some

~ way or another ar dhóigh amháin nó ar dhóigh eile
to ~ degree go dtí pointe áirithe

It was ~ holiday!
Ní raibh saoire agam go dtí sin!

You should try and make ~thing of yourself.
Ba chóir duit rud éigin fiúntach a dhéanamh díot féin.

something

    ~ tells me that you haven't heard yet.
Tá rud éigin á rá liom nár chuala tú go fóill.

    He's a garda or ~.
Is garda é nó rud éigin cosúil leis.

    There's ~ in what you say. Tá cuid den cheart agat.

    There must be ~ in it. Ní féidir gur amaidí ar fad é.

song

    It's going for a ~. Tá sé le fáil ar 'ardaigh orm é'.

    Stop making a ~ and dance about it!
Ná bí ag déanamh seamsáin de!

soon

    as ~ as possible chomh luath agus is féidir

    ~er or later luath nó mall

    The ~er the better! Dá luaithe 's é is fearr!

    No ~er said than done! Ní luaithe ráite ná déanta é!

    Less said ~est mended. Níor bhris béal iata fiacail riamh.

    I would as ~ not go there.
Bheinn lán chomh sásta gan dul ann.

sore

    She's a sight for ~ eyes!
Is í an eorna nua í.

    That's a ~ point with him.
Sin an áit a ngoilleann an bhróg air.

    It sticks out like a ~ thumb.
Seasann sé amach mar charraig i lár (na) mara é.

    You're only opening old ~s.
Níl tú ach ag baint fola as seancholm.

    The chapel is ~ly in need of a new roof.
Tá díon nua de dhíth go géar ar an séipéal.

sorrow

    He tried to drown his ~s.
Chuaigh sé i muinín an óil chun an brón a dhíbirt.

sorry

What a ~ sight you are! Nach truamhéalach an feic thú!

~! Gabh mo leithscéal!; Tá brón orm!

Awfully ~! Tá aiféala an domhain orm!

I'm ~ for them. Is trua liom iad.

He looked very ~ for himself. Bhí cuma thruamhéalach air.

sort

It takes all ~s. Bíonn an uile shaghas duine ann.

I have a pen of ~s. Tá ainm pinn agam.

It's a translation of a ~. Is aistriú de chineál éigin.

I was ~ of tired. Bhí mé cineál tuirseach.

She is out of ~s. Níl sí inti féin inniu.

soul

He's the ~ of the party. Is é croí na cuideachta é.

She's the ~ of hospitality.

Is í croí na féile í.

I had to do a great deal of ~ -searching before I told her.

Bhí ormsa an-chuardach croí a dhéanamh sula ndúirt mé léi.

sound

She is ~ in body and mind.

Tá sláinte coirp agus intinne aici.

He's a ~ man! Is fear den scoth é!

It's ~s like the truth. Tá craiceann na fírinne air sin.

I don't like the ~ of it.

Níl cuma ró-mhaith air mar scéal.

soup

in the ~ san fhaopach

I am really in the ~ now. Táim i ndáiríre san fhaopach anois.

sour

It's just a case of ~ grapes. Níl ann ach cás de shilíní searbha.

sow

to ~ your wild oats do bháire baoise a imirt

As ye ~, so shall ye reap! Mar a chuirfidh tú, bainfidh tú.

~ing the seeds of discord ag cothú an easaontais

space

within the ~ of a minute laistigh de nóiméad amháin

He was ~d out.

Bhí na soilse ar lasadh ach ní raibh éinne sa bhaile.

spade

Let's call a ~ a ~! Ná baintear an t-ainm den bhairín!

She did all the ~ work.

Rinne sise an sclábhaíocht go léir.

spanner

It was he himself who threw a ~ in the works.

Eisean é féin a chaith bata sa roth (muilinn).

spar

to ~ with another person

speáráil le duine eile

~ring match

babhta speárála

spare

He went ~. D'imigh sé leis na craobhacha., Chaill sé guaim ar fad air féin., Chaill sé é.

You're putting on a bit of a ~ tyre.

Tá tú ag titim chun feola.

She ~d no expense.

Níor choigil sí aon chostas.

I haven't a minute to ~. Níl nóiméad le cois agam., Níl nóiméad le ligean amú agam.

speak

so to ~ mar a déarfá

It is time to ~ out.

Is mithid labhairt amach go neamhbhalbh.

The results ~ for themselves.

Ní gá ach féachaint ar na torthaí.

He is not on ~ing terms with his brother.

Ní bhíonn focal cainte idir é féin agus a dhearthráir., Ní bheannaíonn sé dá dhearthráir.

generally ~ing i gcoitinne

roughly ~ing tríd is tríd

~ing for myself maidir liom féin

He has no musical ability to ~ of.

Níl aon chumas sa cheol aige ar fiú trácht air.

That ~s volumes for her integrity.

Is comhartha suntasach é sin dá mhacántacht.

spec

on ~ sa seans

spectacle

>He looks at the world through rose-tinted ~s.
>
>Bíonn sé ag féachaint ar an domhan trí spéaclaí róis.
>
>She made a ~ of herself.
>
>Rinne sí feic di féin.

spell

>Do I have to ~ it out for you?!
>
>An gcaithfidh mé é a chur i litreacha móra duit?!
>
>That would ~ the end of private schools.
>
>Chiallódh sin deireadh leis na scoileanna príobháideacha.
>
>That ~s disaster. Is geall le creach é sin.

spend

>He went to ~ a penny.
>
>D'imigh sé leis cnaipe a scaoileadh.
>
>He ~s money like water.
>
>Bíonn sé ag caitheamh airgid le gaoth.

spice

>Variety is the ~ of life.
>
>Bíonn blas ar an ilghnéitheacht.
>
>to ~ things up a little
>
>chun blas éigin a chur ar an scéal

spick

>The house is ~ and span.
>
>Tá an teach sciobtha scuabtha.
>
>She's looking ~ and span today.
>
>Tá sí gleoite gléasta inniu.
>
>Isn't he ~ and span!
>
>Nach é atá cíortha cóirithe!

spill

>There's no good crying over spilt milk! Níl maith ar
>bith sa seanchas nuair a bhíos an anachain déanta!
>
>She ~t the beans.
>
>Sceith sí an scéal.

spin

>the government ~ bolscaireacht an rialtais
>
>He gave me a ~ in his new car.
>
>Thug sé geábh ina charr nua dom.
>
>My heads in a ~ today. Tá bolla báisín i mo cheann inniu.

spirit

She's in high ~s. Tá sí lá de theaspach/ cheol.,

Tá sí ar bharr na gaoithe.

Before anyone knew it, he was ~ed away from the place.

Sula raibh a fhios ag éinne, tugadh faoi rún as an áit é.

in the ~ of the law

in aigne an dlí

She took it in the right ~.

Ghlac sí leis i bpáirt mhaitheasa.

He entered into the ~ of it.

Chuir sé a chroí ann.

spit

He's the dead ~ of his father. Is é a athair ar athbhreith é.

She is the ~ting image of her mother.

Is í macasamhail a máthar ina steillbheatha í.

(historical) **~ and polish** sciúradh agus sciomradh

splash

They really ~ed out on the wedding.

Scaoil siad sreangáin an sparáin go mór ar son na bainise.

to add a ~ of colour to it ball datha a chur leis

spleen

She vented her ~ on me. Lig sí a nimh amach ormsa.

splendid

That's simply ~!

Tá sin ar fheabhas ar fad.

She's getting on ~ly.

Tá sí ag déanamh go binn.

spoil

~t child peata-do-dic,

peata gan mhúineadh

The news ~t my appetite.

Bhain an scéala mo ghoile díom.

He was ~ing for a fight.

Bhí cuthach troda air.

Don't be a ~~sport!

Ná bí i do sheargánach!

spoke

She put a ~ in his wheel.

Bhain sí siar as.

sponging

> **He's always ~ off people.**
>
> Bíonn sé i gcónaí ag stocaireacht ar dhaoine.

spoon

> **She was born with a silver ~ in her mouth.**
>
> Bhí an mhaoin as broinn aici.
>
> **He ~-feeds his pupils.**
>
> Déanann sé peataireacht ar a chuid daltaí.

sporting

> **I'll have a ~ chance.** Beidh sé ar na díslí agam.

spot

> **He was killed on the ~.**
>
> Maraíodh láithreach bonn é.
>
> **I have a soft ~ for her.**
>
> Tá ball bog ionam di.,
>
> Tá dáimh agam léi.
>
> **The drop of whiskey touched the ~!**
>
> Chuaigh an braon uisce beatha go bun an oilc!
>
> **I had a ~ of trouble with the car.**
>
> Bhí ábhairín trioblóide agam leis an gcarr.
>
> **I'm in a tight ~.** Táim san fhaopach.,
>
> Táim i sáinn.,
>
> Táim i gcuachás.
>
> **You've put me on the spot.**
>
> Tá mé i bponc agat!
>
> **She knocked ~s off him.**
>
> Bhuaigh sí caoch air., Bhuaigh sí pic air.
>
> **You're ~ on!**
>
> Leag tú do mhéar air.

spout

> **He lost his job so buying the new house is up the ~.** Chaill sé a chuid oibre mar sin tá ceannach an tí nua imithe le gaoth.

spread

> **They had a great ~ at the party.**
>
> Bhí riar mór le hithe acu ag an gcóisir.
>
> **She liked the job but she wanted to ~ her wings.**
>
> Thaitin an obair léi ach theastaigh uaithi an nead a fhágáil.

spring

> **Where did you ~ from?**
> Cárbh as ar léim tusa de phreab?
> **Hope ~s eternal!** Bíonn súil le muir!
> **~ing into action** ag teacht i ngníomh de phreab

spur

> **on the ~ of the moment** ar ala na huaire
> **to ~ him on** é a spreagadh ar aghaidh

spy

> **to ~ out the ground**
> an talamh a bhrath

square

> **We're back to ~ one!**
> Táimid ar ais ag an mbuntosach!
> **to get a ~ deal**
> margadh ionraic a fháil
> **He treated me ~ly.**
> Thug sé mo cheart dom.
> **She won it ~ and fair.**
> Bhuaigh sí go cothrom é.
> **Be there or be ~!**
> Bí ann nó bí gann!

squeak

> **I had a narrow ~ there!**
> Idir cleith agus ursain a d'imigh mé ansin!
> **He's ~y clean.**
> Tá sé chomh glan le criostal.
> **There wasn't a ~ out of him.**
> Ní raibh smid as.

squib

> **The party was a damp ~.**
> Bhí an chóisir gan mheanma ar bith.,
> Thit an tóin ar fad as an chóisir.

stab

> **I'll have a ~ at it!**
> Féachfaidh mise leis!
> **~ in the back** buille fill
> **She ~bed me in the back.**

Thug sí buille fíll dom., chuir sí scian i mo dhroim.

stable

    It's locking the ~ door after the horse has bolted.

    Is é fál ar an ngort é i ndiaidh na foghla.

stack

    The cards were ~ed against him.

    Bhí gach rud ag tuar ina aghaidh.,

    Bhí an na díslí lódáilte ina aghaidh.

staff

    Bread is the ~ of life.

    Is é an t-arán crann seasta na beatha.

stage

    ~ fright critheagla stáitse

    at this ~ of the proceedings

    ar ala na huaire seo sa scéal

    in ~s i gcéimeanna

stairs

    the people up ~ na daoine thuas staighre

    to go up ~ dul suas staighre

    those living down ~ iad siúd ina gcónaí thíos staighre

    to go down ~ dul síos staighre

    He hasn't much up ~.

    Níl mórán idir na cluasa aige.

stake

    There's a lot at ~ here.

    Tá a lán i ngeall air seo.

    I'd ~ my life on it.

    Chuirfinn mo cheann i ngeall air.

stamp

    to ~ out a disease galar a chur faoi chois

stand

    It ~s to reason. Luíonn sé le réasún.

    as matters ~ mar atá an scéal faoi láthair

    I don't know where I ~ with the new management.

    Níl a fhios agam cá bhfuil mé leis an mbainistíocht nua.

    I ~ to lose nothing by it. Níl a dhath le cailleadh agam leis.

    I can't ~ it. Ní thig liom (é) a sheasamh.

    I shall not ~ for it. Ní chuirfidh mé suas leis.

to take a ~ against racism
cosa a chur i dtaca in aghaidh an chiníochais
I'm not going to ~ by and do nothing.
Nílim chun fanacht ar leataobh agus gan faic a dhéanamh.,
Nílim chun seasamh siar agus faic a dhéanamh.
I ~ by that argument. Seasaim ar an argóint sin.
He stood by me. Sheas sé an fód liom.
She stood up for me. Sheas sí suas dom.,
Sheas sí an ceart dom.
He stood in for me while I was sick.
Sheas sé isteach dom fad is a bhí mé tinn.

star
I thank my lucky ~s that I don't have to do that.
Gabhaim mo bhuíoch do Rí na reann nach bhfuil
ormsa é sin a dhéanamh.
She hit her head and saw ~s.
Bhuail sí a ceann agus tháinig léaspáin ar a súile.
You got me the book – you're a ~!
Fuair tú an leabhar dom – is aingeal thú!

staring
It was ~ you in the face!
Bhí sé os cionn do shúl agat!

start
You gave me a dreadful ~.
Bhain tú geit uafásach asam.
at the very ~
i bhfíorthús an scéil
from ~ to finish
ó thús go deireadh
Getting off to a good ~ is half the work.
Tús maith leath na hoibre.
I wanted to make an early ~.
Theastaigh uaim tosú go luath.

state
She was in a bad ~ (of anxiety).
Bhí sí suaite go mór.
Look what a ~ you're in!
Nach tusa atá trina chéile ar fad!

statistics

　　There are lies, downright lies and ~.

　　Tá bréaga ann, deargbhréaga agus staitisticí.

status

　　~ symbol

　　comhartha de chéimíocht shóisialta

stay

　　You ~ put! I'll be back shortly.

　　Fan tusa gan bogadh! Beidh mise ar ais ar ball.

　　Did you enjoy your ~ in the Gaeltacht?

　　Ar thaitin an tamall a chaith tú sa Ghaeltacht leat?

stead

　　The Latin I did at school stood me in good ~.

　　Ba mhór an chabhair dom an Laidin a rinne mé ar scoil.

steady

　　Ready, ~, go! Réidh! ar aghaidh!

　　~ on! Tóg go bog é!

steal

　　When Megan played the part of Juliet, she stole the show.

　　Nuair a rinne Megan páirt de Juliet, uirthi amháin a bhí súile
　　lucht féachana., Ghoid Megan an seó nuair a rinne sí páirt
　　Juliet.

　　to ~ a person's heart croí duine a mhealladh.

　　You have stolen my heart! Bhain tú an croí díom.

　　to ~ out of a room sleamhnú amach as seomra gan fhios

steam

　　Full ~ ahead! Ar aghaidh faoi iomlán gaile!

　　He was O.K. once he had let off some ~.

　　Bhí sé ceart go leor tar éis dó an teaspach a chur de.

　　She ran out of ~. Baineadh an teaspach aisti.

　　I'll get there under my own ~.

　　Rachaidh mé án ar mo chonlán féin.

　　~ room seomra gaile

steer

　　You should ~ clear of these fanatics.

　　Ba chóir duit fanacht amach ó na fanaicigh seo.

step

　　One ~ forward, two ~s back!

Céim ar aghaidh, dhá chéim ar gcúl!
~ on it! Cuir dlús leis!, Brostaigh ort!
to keep ~ with the rest of them
siúl ar chomhchéim leis an gcuid eile acu
~ by ~ céim ar chéim
I shall have to take ~s to stop them. Caithfidh mé
an riachtanas a dhéanamh chun stop a chur leo.
It's a ~ in the right direction.
Is céim sa treo ceart é.
(upset, encroach upon) **to ~ on a person's toes**
teacht i ndeas don chnámh le duine

stew

Let him ~ in his own juice!
Bíodh cion a dhearmaid air!
You can ~ in your own juice for all I care! Ós tú a
tharraing ort, íoc olc agus iaróg anois - nach cuma liomsa!

stick

There wasn't a ~ of furniture in the room.
Ní raibh aon bhall amháin trioc sa seomra.
She gave him too much ~ in my opinion.
Thug sí an iomarca den tslat dó, dar liomsa.
~ with it! Fan leis!, Ná éirigh as!
I can't ~ it! Ní féidir liom broic leis.
She stuck it out. Chuaigh sí go bun an angair leis.,
Sheas sí an fód go deireadh.
He came to a ~y end. Bhí droch-chríoch air.
She has ~ fingers. Bíonn sí go luathmhéarach.
(see also: stuck)

stiff

(dead person) **Where's the ~?** Cá bhfuil an spéice?
It was a ~ job for us to convince him.
Chuaigh sé rite linn é a chur ina luí air.
I was scared ~. Bhí an t-anam scanraithe asam.
I was bored ~ with the work.
Bhí mé marbh tuirseach den obair, Bhí mé leamh
den obair., Bhí ciapóga orm ag an obair.
Don't be such a ~y! Ná déan molt ar fad díot féin!

sting

the ~ of remorse snáthaid na haithrí
The extra money took the ~ out of it.
Bhain an t-airgead breise an chealg as.

stingy

> **~ person** gortachán, duine gortach
> **~ subscription** síntiús suarach

stink

> **She kicked up a hell of a ~ over it.**
> Rinne sí racán millteanach mar gheall air.
> **Blue cheese ~s to high heavens.**
> Bíonn boladh bréan uafásach ón ghorman.

stitch

> **A ~ in time saves nine!**
> An té nach gcuirfidh greim, cuirfidh sé dhá ghreim.
> **I ran too fast and got a ~.**
> Rith mé ró-thapa agus bhuail arraing sa taobh mé.
> **She hadn't a ~ on.**
> Ní raibh folach ar bith uirthi.
> *(to frame)* **He was ~ed up by the police.**
> Rinne na póilíní comhcheilg ina aghaidh.
> **I was in ~es when I heard the story.** Bhí mé sna
> trithí (dubha) gáire nuair a chuala mé an scéal.

stock

> **Sarcasm was her ~ in trade when teaching.**
> Bhí an searbhas mar chuid dílis dá modhanna múinte.
> **Lock, ~ and barrel** idir chorp, chleite agus sciathán
> **to ~ up on chocolate** seacláid a thaisceadh
> **We're out of ~ of it.** Táimid rite as., Níl sé sa stoc againn.
> **~ answer** freagra smolchaite

stomach

> **You'd need a strong ~ for work like that.**
> Ní mór go mbeadh goile láidir agat don obair dá leithéid.
> **I have no ~ for it.** Níl aon ghoile agam dó.
> **It would turn your ~.**
> Chuirfeadh sé tarraingt urla ort.

stone

> **She left no ~ unturned but her efforts were in vain.**
> Thriail sí dóigh agus andóigh ach saothar in aisce a bhí aici.

204

~ -cold sober go fuaraigeanta stuama

The school is only a ~'s throw away from my house.
Níl an scoil ach faoi urchar cloiche ó mo theachsa.

stool

I don't want to fall between two ~s.
Ní theastaíonn uaim léim an dá bhruach a chailleadh.

~ -pigeon maide bréagach

stoop

to walk with a ~ siúl go cromshlinneánach

I would never ~ so low as that.
Ní dhéanfainn chomh beag sin díom féin.

stop

This matter will not ~ here!
Ní hé deireadh an scéil seo!

~ **it!** Éirigh as!

I must put a ~ to it. Caithfidh mé stop a chur leis.

She never ~s talking. Ní stadann sí leis an gcaint.

He ~ped short of calling her a liar.
Is beag nár thug sé bréagadóir uirthi.

How long are you ~ping in Dublin?
Cá fhad atá tú ag stopadh i mBaile Átha Cliath?

We ~ped over for the night in Limerick.
D'fhanamar oíche i Luimneach.

We ~ped off in Edinburgh.
Rinneamar stopadh i nDún Éideann.

storage

in cold ~
i dtaisce fhuar

store

People do not know what the future has in ~ for them.
Ní bhíonn a fhios ag daoine cad a bhíonn i ndán dóibh.

I set great ~ by it. Is mór agam é.

I have a great surprise in ~ for her.
Tá iontas mór agam faoina coinne.

storm

There's ~y weather ahead.
Beidh farraigí arda os ár gcomhair amach.

We shall weather the ~. Seasfaimid an stoirm.

to take a place by ~ áit a ghabháil de ruathar ionsaithe
The young musicians took London by ~. Tháinig na
ceoltóirí óga go Londain de ruathar ionsaithe.
~ in a teacup cogadh na sifíní

story
> **To make a long ~ short, he will not be leaving.**
> Chun scéal gearr a dhéanamh de, ní bheidh sé ag imeacht.
> **It's the same old ~!** Is é an seanscéal arís é.
> **The ~ goes that she left him.**
> De réir mar a deirtear d'fhág sí é.
> **That's a tall ~** Sin scéal i mbarr bata!

straight
> **Let me get this ~ - she gave you the ticket but**
> **you lost it.** Má thuigim i gceart thú – thug sise
> an ticéad duit ach chaill tusa é.
> **He was a criminal but now he's going ~.**
> Bhí sé ina choirpeach ach anois is duine ionraic é.
> **His wife keeps him on the ~ and narrow.**
> Coinníonn a bhean ar bhóthar a leasa é.
> **I told her ~.** Dúirt mé léi gan fiacail a chur ann!

strait-laced
> **She is ~.** Duine ceartaiseach í.

strange
> **in a ~ way** ar bhealach aisteach
> **It's ~ you didn't hear about it.**
> Is aisteach nár chuala tú faoi.
> **~ly enough she didn't know.**
> Más iontach le rá é, ní raibh a fhios aici siúd.
> **I am no ~r to racism.**
> Tá eolas maith agam cad is ciníochas ann.

straw
> **It's just clutching at ~s!**
> Níl ann ach greim an fhir bháite ar an dóchas is caoile!
> **As far as I am concerned that was the last ~!**
> Chomh fada liomsa de ba é sin buille na tubaiste é!
> **That was the ~ that broke the camel's back.** Ba é sin
> an buille cinniúnach!, Ba é sin buille na tubaiste é.
> **~ poll** toghchán braite

streak

>He has a yellow ~ in him. Tá an chré bhuí ann.

>at the first ~ of dawn le breacadh an lae

>like a ~ of lightning mar a bheadh splanc ann

>I was on a winning ~. Bhí an t-ádh ag rith liom.

street

>There are a lot of young people on the ~(s) in Dublin.

>Bíonn a lán daoine óga gan dídean ar shráideanna Bhaile Átha Cliath.

>She's ~s ahead of him. Níl aon ghoir aige uirthi.

>That's right up my ~. Sin go díreach an rud domsa.

strength

>He's going from ~ to ~. Tá sé ag dul ó neart go neart.

>The Gardaí were there in ~.

>Bhí na Gardaí ann i líon a slua.

>He was employed on the ~ of his qualifications.

>Fostaíodh é de bharr a chuid cáilíochtaí.

>by sheer ~ le tréan nirt

stretch

>He's no professor by any ~ of the imagination.

>Ní ollamh é ná gar leis.

>By a ~ of imagination you could visualise it like that. Le hiarracht den tsamhlaíocht d'fhéadfá é a fheiceáil mar sin.

>He did a ~ in prison.

>Bhí sé ar (an) leaba chláir ar feadh tamaill.

>I'd like to ~ myself.

>Ba mhaith liom mé féin a shearradh.

stride

>She's making great ~s.

>Bíonn céimeanna móra chun á dhéanamh aici.

>She took the Leaving Cert in her ~.

>Rinne sí an Ardteistiméireacht gan stró.

>I was just getting into my ~ when I had to leave the work.

>Ní raibh mé ach ag teacht isteach ar an obair nuair a bhí orm é a fhágáil.

strike

>to ~ up a friendship with him

>éirí cairdiúil leis

to go on ~ dul ar stailc

~ while the iron is hot!
Nuair atá an t-iarann dearg is cóir a bhualadh.

How does that ~ you? Cad é do mheas air sin?

She ~s me as being sincere.
Feictear dom go bhfuil sí dáiríre.

I struck upon the idea when I was swimming.
Bhuail an smaoineamh mé agus mise ag snámh.

stricken by illness cloíte le galar

stricken with grief cloíte faoi bhrón

within striking distance faoi fhad buille

string

    long ~ of offences slabhra fada de chionta

    to ~ a person up duine a chrochadh

    She's very highly strung. Tá sí chomh teann le téad fidile.

    with no ~s attached gan choinníoll ar bith

strip

    He ~ped off.
Bhain sé a chuid éadaí de go dtí nach raibh snáth air.

    She tore ~s off him. Leadhb sí é.,
Thug sí leadhb dá teanga dó.

stroke

    at a ~ d'aon iarracht amháin

    at the ~ of twelve ar bhuille a dó dhéag

    ~ of good luck sciorta den ádh

    (medical) **He had a ~.** Fuair sé stróc.

strong

    ~ smell boladh láidir

    ~ language caint láidir

    ~ cheese cáis bhorb

    ~ evidence fianaise throm

    ~ market margadh tréan

    ~ reason fáth maith

    ~ nerves néaróga daingne

    the ~ arm of the law cumhacht an dlí

    I am ~ly against it.
Táim go daingean ina aghaidh.

    ~ly worded letter litir thréan

Physics isn't his ~est suit.

Ní hé an fhisic an t-ábhar is treise atá aige.

stubborn

He's as ~ as a mule. Tá sé chomh ceanndána le muc.

stuck

The words ~ in my throat. Sheas na focail i mo bhéal.

He ~ it out to the end. Sheas sé leis go dtí an deireadh.

I didn't want a husband but now I'm ~ with him. Níor theastaigh fear céile uaim ach anois níl éalú agam uaidh.

I'm ~. Táim dulta i bhfostú.; Táim i sáinn.

(see also: stick)

stuff

the right ~ an stuif ceart

Get ~fed! Do chorp don diabhal!

~ and nonsense! Amaidí agus seafóid!

She knocked the ~ing out of him.

Bhuail sí dual na droinne air.

That's the ~!

Sin é mar ba chóir!

My nose is ~ed.

Tá mo shrón stoptha.

She's far too ~y. Tá sí go róchúisiúil ar fad.

He's a ~ed shirt. Is molt é.

(after eating) **I'm ~ed.** Tá mé dingthe. Táim lán go béal.

He knows his ~.

Tá eolas a ghnó aige.

stumble

I ~d across it while I was in the library.

Tháinig mé air de thaisme agus mé sa leabharlann.

I was stumbling along. Bhí mé ag stamrógacht liom.

That's the only stumbling block.

Is é an t-aon cheap tuisle amháin atá ann.

stump

That ~ed me. Rinne sin crunca díom.

to ~ up the money do sparán a oscailt

I ~ed up all I had on me to pay for the tickets.

D'fholmhaigh mise mo phócaí chun íoc as na ticéid.

style

You're cramping my ~. Tá tú ag déanamh ciotaí dom.

That the ~! Sin é an tslí!

She has no ~. Níl aon stíl aici., Níl galántacht ar bith inti.

She lives in ~. Tá saol na mná uaisle aici.

Do it in ~! Déan go galánta é!

subject

> **While we're on the ~, where is your own essay?**
> Ós ag caint air atáimid, cá bhfuil d'aiste féin?
>
> **He changed the ~.** Tharraing sé scéal eile anuas.
>
> **Let us return to the ~ we were discussing!**
> Fillimis ar an ábhar a bhí i dtreis againn!

success

> **~ breeds ~.** An té atá thuas óltar deoch air.
>
> **It turned out to be a wonderful ~.**
> D'éirigh go hiontach leis.
>
> **Her new business was another ~ story.**
> D'éirigh thar cionn arís leis an ghnó nua a bhunaigh sí.,
> Arís tá lámh mhaith déanta aici dá ghnó nua.

such

> **~ courage!** A leithéid de mhisneach!
>
> **Did you ever hear ~ a thing?!**
> Ar chuala tú riamh a leithéid?!
>
> **I said no ~ thing!** Ní dúirt mé é ná a leithéid!
>
> **in ~ and ~ a place** ina leithéid seo d'áit
>
> **He said it in ~ a way as to insult her.**
> Dúirt sé é i gcaoi gur mhaslaigh sé í.

suck

> **to be ~ing up to a person** bheith ag líreac ar dhuine,
> bheith i do mhadra lathaí ag duine
>
> **~er!** A ghamail! A staigín! A spadaire!
>
> **That ~s!** Caillteanas ar fad é sin!
>
> **As a teacher, he ~s.**
> Ní fiú cnaipe gan chois é mar mhúinteoir.

sudden

> **all of a ~** i bhfaiteadh na súl
>
> **The door opened all of a ~.**
> Osclaíodh an doras de sciotán/ go tobann gan choinne.

suffer

He doesn't ~ fools gladly.

Is beag an fhoighne a bhíonn aige ar amadán ar bith.

The school buildings ~ from neglect.

Tá díobháil aire ag cur ar fhoirgnimh na scoile.

He is only here on ~ance.

Le caolchead amháin atá sé anseo.

suffice

~ it to say that the small shops had to close down.

Is leor a rá go raibh ar na siopaí beaga éirí as gnó.

sugar

to ~ the pill an ghoimh a bhaint as

suit

Latin was not my strong ~ at school.

Níorbh é an Laidin an t-ábhar ba threise liom ar scoil.

That ~s me down to the ground.

Oireann sin thar cionn domsa.

~ yourself!

Déan mar is mian leat!

sum

When Ó Conaire died, that was the ~ total of his worldly possessions. Nuair a fuair Ó Conaire bás ba é sin an méid iomlán den mhaoin shaolta a bhí aige.

to ~ up le coimriú a dhéanamh ar an scéal

summer

Indian ~ samhradh beag na ngéanna

~ college coláiste samhraidh

One swallow doesn't make a ~.

Ní tréad caora.

sun

You caught the ~ while you were in Madrid.

Fuair tú dath na gréine nuair a bhí tú i Maidrid.

There is nothing better under the ~.

Níl aon rud níos fearr ná é faoi rothaí na gréine.

Sunday

She was dolled up in her ~ best.

Bhí sí gléasta suas ina héadaí Domhnaigh.

~ -school truths fírinní an chreidimh shaonta

I'd never in a month of ~s do such a thing again.

Ní dhéanfainnse a leithéid go brách na breithe arís.

sundry

He told all and ~ about it.

D'inis sé don saol mór é.

All and ~ know about it now.

Tá a fhios ag an saol agus a mháthair faoi anois.

supply

Potatoes are in short ~. Bíonn na prátaí gann.

support

He's without any means of ~.

Níl riar a cháis aige., Níl aon tslí mhaireachtála aige.

sure

It's a ~ thing. Is rud cinnte é., Mise á rá leat!

Be ~ to switch the TV off.

Déan cinnte go bhfuil an teilifís múchta agat.

Better ~ than sorry! Is fearr glas ná aimhleas!

We can't know for ~ but we think he's dead. Ní féidir

linn bheith cinnte faoi ach ceapaimid go bhfuil sé marbh.

She's a grand lass to be ~!

Is girseach bhreá í ar ndóigh!

Slowly but ~ly! Is fearr mall cinnte ná luath lochtach!

as ~ as I'm standing here

chomh siúráilte le héirí na gréine amárach

surface

In nanotechnology we have only just scratched the ~.

Sa nanaiteicneolaíocht nílimid ach tosaithe an obair.

surprise

You took me completely by ~.

Ní raibh coinne dá laghad agam leat.

The Gardaí took the thief by ~.

Tháinig na Gardaí aniar aduaidh ar an ghadaí.

(at seeing a person) **What a ~!** Nach iontach an saol é!

The door opened and what a ~, my brother

was there. Osclaíodh an doras agus iontas na n-iontas,

bhí mo dheartháir ansin.

~ attack ionsaí gan choinne

suspicion

He is person who is above ~.

Is duine atá saor ó amhras é.

swallow¹ *(i.e. devour)*

    He had to ~ his pride. Bhí air deoch ar a náire a ól.

    She had to ~ her words. Bhí uirthi dul siar ar a chuid cainte.

swallow² *(i.e. bird)*

    One ~ doesn't make a summer. Ní tréad caora., Ní scaoth breac.

swan

    She's out ~ing around while I'm in here busting a gut.

    Tá sise amuigh ag damhsa ar na bánta agus mise ag cur
    mo bhundún amach istigh anseo.

    ~ song buille scoir, amhrán eala

sway

    He held ~ over the whole empire.

    Bhí an impireacht go léir faoina réir aige.

swear

    Alternative medicine – he ~s by it!

    Leigheas malartach – tá muinín mhór aige as!

    I ~ to you I don't know.

    Geallaim duit – níl a fhios agam.

    to ~ in a witness

    finné a chur faoi mhionn

    She ~s like a trooper.

    Bíonn sí ag mallú ar nós an diabhail.

sweat

    No ~! Ní cúis imní é!, Ná bac!

    by the ~ of my brow le hallas mo mhalaí

    I was ~ing like a pig.

    Bhí mé ag bárcadh allais.

    ~ shop siopa allais

    He ~ed blood and tears to establish that business.

    Thug sé fuil a chroí chun an gnó sin a bhunú.

    We'll just have to ~ it out.

    Caithfimid ól na dí seirbhe a thabhairt air.

sweep

    He made a clean ~ of it.

    Níor fhág sé fuíoll buille air.

    He swept the board.

    Lom sé an clár.

She swept into the room.

Tháinig sí de rúchladh isteach sa seomra.

They are trying to ~ everything under the carpet.

Tá siad ag iarraidh gach rud a chur ó radharc na súl.,

Tá siad ag iarraidh gach rud a cheilt.

sweet

She has a ~ tooth. Is beadaí í., Tá an bheadaíocht inti.

Revenge is ~. Bíonn blas ar an díoltas.

to whisper ~ nothings to one another

labhairt lena chéile i mbaothbhriathra mealltacha

He is ~ on her. Tá sé bog uirthi.

swim

She can ~ like a fish.

Tá snámh an éisc aici.

My head is ~ming.

Tá meadhrán i mo cheann.

swing

He'll ~ for it.

Rincfidh sé ar ghad dá dheasca.

I'm getting into the ~ of things.

Táim ag teacht i gcleachtadh ar chúrsaí.

The party is in full ~.

Tá an chóisir faoi racht seoil.

I like music with a bit of a ~ to it.

Is maith liom ceol a bhfuil gluaiseacht chroíúil leis.

He's ~ing the lead today.

Tá sé ag cur an lae faoi bhruth inniu.

What you win on the ~s, you lose on the roundabouts.

Ní uasal ná íseal ach thuas seal agus thíos seal.

There isn't room to ~ a cat.

Níl slí dhá chat chun rince ann.

swollen-headed

to be ~ bheith lán de lán

He has got very ~. Tá an t-uabhar dulta in ainseal air.

swoop

at one fell ~ d'aon ráib mharfach amháin

sword

We crossed ~s some time ago.

Bhíomar in adharca a chéile tamall maith ó shin.

The pen is mightier than the ~. Is treise cleite ná claíomh.,
Cloíonn caibidil claíomh.

system

> **He got it out of his ~.**
> Chuir sé uaidh é.

T

> **The work suits me to a T.**
> Feileann an obair thar cionn dom.
> **to dot one's 'i's' and cross one's 't's'.**
> na t-anna a chrosáil

tab

> **Can you put it on the ~ for me?**
> An féidir leat é a chur ar cairde dom?
> **They were keeping ~s on me.**
> Bhí siad do m'fhaire.
> **I'll pick up the ~.**
> Íocfaidh mise an scór.

table

> **I could drink you under the ~.**
> D'fhéadfainn tú a fhágáil gan cos fút dá mbeimis ag ól.
> **She turned the ~s on him.** D'iompaigh sí an roth air.

tag

> **He ~ged along with us.** Lean seisean ar ár sála.

tail

> **He left with his ~ between his legs.**
> D'fhág sé go maolchluasach (le teann náire).

take

> **~ it from me - it's not easy!** Creid uaimse é - níl sé go héasca!
> **How did she ~ it?** Conas a ghlac sí leis?

215

I ~ **back what I said.** Tarraingím siar an méid a dúirt mé.

Don't ~ it out on me! Ná déan ceap milleáin díomsa!

It ~s up a lot of my time. Creimeann sé an t-am go mór orm.

He's on the ~. Tá lámh leis sa scipéad aige.

I was ~n aback. Baineadh siar asam.

She was ~n ill. Buaileadh tinn í.

I was ~n in. Chuaigh mé sa dol.

I was very much ~n by the idea.

Chuaigh an smaoineamh i gcion go mór orm.

These seats are ~n. Níl na suíocháin seo saor.

taking one thing with another idir mhín agus garbh

tale

old wives' ~ comhrá cailleach

Don't tell ~s! Na bí ag sceitheadh ar do chomrádaithe!

Thereby hangs a ~! Tá scéal le hinsint faoi sin!

tall

That's a bit of a ~ order for us!

Rachaidh sé sin go géar orainn!

That's a ~ story. Is scéal le féasóg fhada é sin., Sin scéal
i mbarr bata., Is scéal é sin nach bhfuil craiceann ar bith air.

tangent

She flew off at a ~.

Scinn sí glan ón gceist.

tap

We have running water on ~.

Tá uisce reatha ar tarraingt againn.

to ~ a telephone wire

sreang éisteachta a chur as líne theileafóin

tape

red ~ téip dhearg

I have got her ~d!

Tá sise leabhraithe go maith agam anois!

tar

They're all ~red with the same brush.

Aon chith amháin d'fhliuch iad uile.

to spoil the ship for a ha'p-worth of ~

an punt a chailleadh ar lorg na pingine

target

I'm the ~ of his jokes.

Bíonn mise i mo cheap magaidh aige.

task

She took him to ~ over it.

Thug sí casaoid dó mar gheall air.

He's a hard ~ -master. Is dian an máistir é.

taste

~s differ. Ní lia duine gan tuairim.,

Beatha duine a thoil.

She got a ~ for power.

Fuair sí blas na cumhachta.

tea

That's not my cup of ~. Ní hé sin mo chupán tae.,

Ní bhfuair mé blas choíche ar a leithéid.

I wouldn't do that for all the ~ in China!

Ar ór na cruinne ní dhéanfainn sin!

(see also: storm)

teach

Don't ~ your grandmother how to suck eggs!

Ní mhúineann an t-uan méileach dá mháthair!

That'll ~ him!

Tabharfaidh sin fios a bhéasa dó!

Time is a good ~er.

Is maith an t-oide an t-am.

tear[1] *(i.e. rip)*

He was ~ing along.

Bhí sé ag réabadh leis.

I couldn't ~ myself away from the work.

Níor éirigh liom mé féin a tharraingt ón obair.

tear[2] *(i.e. when crying)*

She burst into ~s.

Bhris an gol uirthi.

crocodile ~s deora bréige

They're only crocodile ~s.

Ní thagann na deora sin ón chroí.

I was in ~s.

Bhí na deora liom.

without a ~ in her eye

gan deoir ar an tsúil aici

teeth

armed to the ~ armáilte go dtí na cluasa,
faoi iomlán arm, armáilte ó bhun go barr

I escaped by the skin of my ~.
D'éalaigh mé idir cleith agus ursain.

She lied through her ~.
Rinne sí bréag mhór na hÉireann de.

in the ~ of the storm
i mbéal na doininne

~ing problems mionfhadhbanna tosaigh

tell

I can't ~ you how happy I am.
Níl insint béil agam ar an áthas atá orm.

I won't do that again in a hurry I can ~ you!
Mise faoi d(h)uit, ní dhéanfaidh mé é sin go luath arís!

I'll ~ you what, I'll meet you downstairs.
Éist, fanfaidh mé ort thíos staighre.

~ me another! Inis ceann eile dom!

You can ~ she's smart.
Tá an chlisteacht le haithint uirthi.

You can never ~!
Ní bheadh a fhios agat choíche!

Maybe some day he'll understand – who can ~?!
B'fhéidir go dtuigfidh sé lá éigin – cá bhfios?!

He's no fool let me ~ you!
Mise á rá leatsa ní amadán ar bith é!

All told, he's a decent enough sort.
Tar éis sin agus uile, is madra macánta é.

He told on me. Sceith sé orm.

temper

He lost his ~. Rug an fhearg bua air., Chaill sé a ghuaim.

~! ~! An stuaim i gcónaí!, Foighne! Foighne!

tender

left to the ~ mercies of the law
fágtha faoi luí na bíse ag an dlí

tenterhooks

We were all on ~.

Bhíomar go léir ar cheann cipíní., Bhíomar uile ar bís.

terms

She never came to ~ with her husband's death.
Níor tháinig sí riamh chun réitigh le bás a fir chéile.

You're in no position to dictate ~.
Níl sé de cheart agatsa coinníollacha a leagan síos.

We bought a computer on easy ~.
Cheannaíomar ríomhaire ar shosa.

We're on great ~. Táimid an-mhór le chéile.

They're not on friendly ~. Níl aon bhuíochas acu ar a chéile.

on your ~ ar bhreith do bhéil féin, ar do choinníollacha féin

terror

You're a holy ~! Is diabhailín cruthanta thú!

She used to live in ~. Bhíodh eagla a báis uirthi.

Reign of ~ Ré an Uafáis

test

They were put to the ~. Tástáladh iad.

~ run sciuird thrialach

driving ~ scrúdú tiomána

tether

I'm at the end of my ~ with them.
Táim i ndeireadh na péice leo.

thank

Let's be ~ful for small mercies!
Is buí le bocht an beagán!

You've only yourself to ~ for what has happened!
Ní haon duine eile ach tú féin a faoi deara é!,
Ort féin a bhuíochas.

I'll ~ you to mind your own business!
Bheinn buíoch díot dá bhféadfá fanacht amach ó rudaí
nach mbaineann leat!

~s for nothing! Gan a bhuíochas duitse!

It's no ~s to him! Ní cuid bhuíochais ar bith dó é!

~less work obair gan bhuíochas

That's all the ~s I got! Sin a bhfuil de bhuíochas orm!

that

~'s ~! Sin sin!

~'s all! Sin a bhfuil!
after ~ ina dhiaidh sin
before ~ roimhe sin

then

He did it there and ~.
Rinne sé lom láithreach é.
between now and ~ idir an dá linn

there

He's not all ~. Tá easnamh air.
~, ~ **don't cry!** Seo anois, ná bí ag gol!
~ **you have me!** Sin an áit a bhfuil mé gafa agat!

thick

They are as ~ as thieves.
Tá siad chomh mór le chéile le gearrán bán agus coca féir.,
Bíonn siad ag ithe as béal a chéile.
That's a bit ~! Tá sin ag dul thar cailc!
He has a ~ **skin.** Tá seithe righin air.
He's as ~ **as two short planks.**
Tá sé chomh dúr le slis.
They are very ~ **with one another.**
Tá siad an-mhór lena chéile.
Letters were coming ~ **and fast.**
Bhí díle litreacha ag teacht.
Blows fell on him ~ **and fast.**
Buaileadh cith buillí air.
She was laying it on ~.
Bhí plámás thar fóir á dhéanamh aici.
She stuck with him through ~ **and thin.**
Mín agus garbh sheas sí leis.
He is ~ **of speech.** Tá caint leathan aige.
Blood is ~**er than water.**
Dá ghiorracht duit do chóta is giorra do léine.
He's in the ~ **of it at the moment.**
Tá sé i lár na bruíne faoi láthair.

thief

~! **thief! Stop** an gadaí!
honour amongst thieves
dílseacht na gceithearnach coille

thieving

> She's a ~ cow!
>
> Is bó bhradach í!

thin

> She's as ~ as a lath.
>
> Tá sí chomh caite le cú.
>
> ~ excuse leithscéal gan craiceann
>
> Your argument is a bit ~.
>
> Níl dath ná dealramh ar d'argóint
>
> Neurologists are ~ on the ground in Ireland.
>
> Is tearc néareolaí a gheofá in Éirinn.

thing

> All ~s being equal, I should be in Ennis tomorrow night.
>
> Agus gach ní eile mar a chéile, ba chóir go mbeinn in Inis oíche amárach.
>
> He is all ~s to all men.
>
> Is fear so-ranna é.
>
> His parents are expecting great ~s from him.
>
> Tá súil ag a thuismitheoirí le héachtaí uaidh.
>
> I know a good ~ when I see it.
>
> Aithním rud maith nuair a fheicim é.
>
> The poor ~! An créatúr bocht!
>
> You take ~s too seriously!
>
> Bíonn tú ró-dháiríre faoin saol ar fad!
>
> That's the very ~! Sin go díreach an rud é!
>
> The ~ is I haven't a moment to spare myself.
>
> Is é mar atá an scéal nach bhfuil nóiméad le cois agam féin.
>
> What with one ~ and another I clean forgot about it.
>
> Idir gach uile shórt rinne mé dearmad glan air.
>
> He knows a ~ or two! Ní leanbh ó aréir eisean!
>
> I know a ~ or two about computers.
>
> Tá rud nó dhó ar eolas agam faoi na ríomhairí.
>
> since that's how ~s are ós mar sin atá an scéal
>
> It's not the done ~. Ní den dea-bhéas é.

thingamy-bob

> What's that ~ over there?
>
> Cad é an rud sin eile thall ansin?
>
> Mr ~ Mac Uí Rudaí

think

> ~ **it over!** Déan smaoineamh air!

> ~ **again!** Cuimhnigh arís!

> **Who'd have thought it!** Cé a shílfeadh é!

> **I don't ~ much of him as a headmaster.**
> Is beag mo mheas air mar ardmháistir.

> **I should ~ so!** Mise á rá leat!, Deirimse leat!

> **I should hardly ~ so!** Ní déarfainnse é.

> **to my ~ing** de réir mo thuairimse, de réir mar a thuigimse é

> **You're not ~ing straight.** Níl tú ag smaoineamh i gceart.

> **Put on your ~ing cap!** Déan do mhachnamh air!

third

> ~ **time lucky!** Ar an treas lá a dtagann an t-ádh!,
> Orainne gean má tá trí treana ann! *(i.e. We are loved
> [by God] if there are three parts to it.)*

this

> **We were chatting about ~ and that.**
> Bhíomar ag cadráil faoi seo agus siúd.

> **This is it!** *(i.e. agreeing with observation)* Sin agat é!

> **after ~** ina dhiaidh seo

> **before ~** roimhe seo

Thomas

> **He's a Doubting ~.**
> Is Tomás an Amhrais é.

thorn

> **She's a ~ in my side.**
> Is bior sa bheo dom í.

> ~ **y question** ceist íogair

thought

> **She has given me food for ~.**
> Thug sí ábhar smaoinimh dom.

> **I was having second ~s.**
> Bhí mé ag déanamh athsmaoineamh air.

> **I didn't give it a second ~.**
> Níor thug mé an dara smaoineamh air.

> **Don't give it another ~!**
> Ná smaoinigh níos mó air!

> **He has no ~ for his own children.**

Níl cás ar bith aige dá pháistí féin.

Perish the ~! Is bhfad uainn an t-olc!

thrash

to ~ **out a question** ceist a chíoradh ó bhun go barr

to ~ **her work in the press**

ceirt draoibe a dhéanamh dá saothar sa phreas

I don't read such ~. Ní léann mé amaidí dá leithéid.

thread

My life was hanging by a ~. Bhí mé ar forbhás.

I've lost the ~ of the argument.

Chaill mé snáithe na hargóinte.

thrill

I was ~ed to bits. Bhí sceitimíní orm.

throat

You're cutting your own ~. Ag milleadh fút féin atá tú.

They're at one another's ~s. Bíonn siad i bpíobán a chéile.

She jumped down my ~ before I had a chance to apologise. Thug sí aghaidh a craois dom sula raibh seans agamsa mo leithscéal a ghabháil léi.

It sticks in my ~. Téann sé díom a shlogadh.

throes

Russia was in the ~ of the revolution.

Bhí an Rúis i gceartlár na réabhlóide.

in the ~ of death i gcróilí an bháis

throne

Mary was the power behind the ~.

Ba í Máire an chumhacht taobh thiar den choróin.

through

Our holiday fell ~. Theip orainn saoire a fháil.

All our plans fell ~.

Thit an tóin as ár bpleananna go léir.

I can easily see ~ that man.

Léim aigne an fhir sin go héasca.

He's an Irishman ~ and ~.

Is Éireannach go smior é.

I am ~ with getting physiotherapy.

Táim réidh leis an fhisiteiripe.

throw

Don't ~ the towel in now! Ná cuir do lámh i bpaca anois!

He makes me want to ~ up. Cuireann sé fonn urlacain orm.

He likes to ~ his weight about.

Is maith leis buannaíocht a dhéanamh.

to ~ cold water on a new idea

beag is fiú a dhéanamh de smaoineamh nua

It's a ~-back to paganism.

Is caitheamh siar go haimsir na págántachta é.

~ -away remark seachfhocal

His remark threw me. Bhain a chuid cainte geit asam.

I threw my hat at it. Chaith mé le haill é.

thumb

~s up! Ordóga in airde!

We got the ~s up. Tugadh an comhartha glas dúinn.

to ~ a lift síob a fháil

He spends his life twiddling his ~s.

Caitheann sé a shaol le díomhaointeas.

It sticks out like a sore ~.

Seasann sé amach mar smuilc mhuice.,

Tá sé chomh soiléir le smut mosach (muice).

(see also: rule)

thunder

He stole my ~. Ghoid sé mo scéal orm.,

Chuaigh sé ar mo bhéala le mo scéalsa.

tick

I bought it on ~. Cheannaigh mé ar cairde é.

She gave me a ~ing off. Thug sí fios mo bhéasa dom.

ticket

That's the ~!

Nár lagaí Dia do lúth!, Sin é an obair cheart!

tickle

I was ~d pink when I heard the news.

Bhí sceitimíní orm nuair a chuala mé an scéal.

It ~d my fancy. Mheall sé mo mhian.

ticklish subject ceist íogair

tide

the turning of the ~ in Irish politics

casadh na taoide i bpolaitíocht na hÉireann

This money will ~ me over until Wednesday.
Cuirfidh an t-airgead seo thar an ghátar mé go
dtí an Chéadaoin.

tie

The football match was a ~.
Tháinig an dá thaobh ar cothrom sa chluiche peile.
I'll be ~d up with my work for the rest of the day.
Ní bheidh tógáil mo chinn ó mo chuid oibre don chuid
eile den lá.
My hands are ~d. Tá mo dhá lámh ceangailte.
He's ~d to the house. Níl fágáil an tí aige.

tight

He was ~ after leaving the pub last night. Ní raibh
aithne a bheart aige agus é ag fágáil an tábhairne aréir.
I was in a ~ corner.
Bhí mé i gcruachás.
He's ~ with money. Bíonn sé gortach lena chuid airgid.,
Bíonn sé go greamastúil lena chuid airgid.
We'll have to ~en our belts. Ní mór dúinn ár gcriosanna
a theannadh as seo amach., Caithfimid bheith níos tíosaí.,
Beidh orainn tíos a dhéanamh.

tile

He was on the ~s last night.
Bhí sé ar na cannaí aréir.
She has a ~ loose.
Tá lúb ar lár inti.

tilt

He's ~ing at windmills.
Tá sé i ngleic le samhailtí.
at full ~ faoi lánseol

time

after a short ~ tar éis tamaill bhig
at my ~ of life san aois ina bhfuilimse
at the same ~ ag an am céanna
at all ~s i ngach tráth
at certain ~s ar thráthanna áirithe
at ~s ar uaire
At one ~ they were married

Bhí tráth ann agus iad pósta.

At no ~ was he ever left alone.
Riamh ná choíche níor fágadh ina aonar é.

by this ~ faoin am seo

by the ~ we got to Spidéal
faoin am gur thángamar go Spidéal

for some ~ to come go ceann tamaill fhada eile

for the ~ being don am atá i láthair

for days at a ~ ar feadh laethanta i ndiaidh a chéile

For some ~ now he's been away.
Le tamall beag anuas tá sé as baile.

from ~ to ~ ó am go ham

from that ~ on ón am sin amach

I'm just biding my ~. Táim ag fanacht leis an cheart.

I've told you ~ after ~. Dúirt mé leat na mílte uair.

I have done my ~. Tá mo sheal tugtha agam.

I was there all the ~. Bhí mé ann ar feadh an ama.

I arrived in ~. Tháinig mé in am.

It's ~ for me to leave. Is mithid dom imeacht

in our ~ lenár linn

in a short ~ i gceann tamaill bhig

in ~s of old san am fadó

in the fullness of ~ le himeacht aimsire

in the nick of ~ ar an nóiméad lom

in these ~s ar na saolta seo

in good ~ in am agus i dtráth

in ~s of trouble i dtráth an éigin

My ~ is my own. Tá cead luí agus éirí agam.

She has no ~ for him. Níl goile aici dó.

She is ahead of her ~. Tá sí roimh a ham.

She is playing for ~. Tá sí ag feitheamh na faille.

some ~ or other lá éigin

Take your ~ over it! Déan ar do chaoithiúlacht é.

~ and tide wait for no man!
Cuirfear srian ar an gcapall ach ní ar an am!

~ after ~ arís agus arís eile

~'s up! Tá an t-am istigh!

~ will tell! Is maith an scéalaí an aimsir!

~ flies. Eitlíonn an t-am.

~ is money. Is ionann an t-airgead agus an t-am.

There's no ~ for delay. Ní tráth moille é.

to kill ~ an t-am a mheilt/ a mharú

We're making good ~ with the work.

Nílimid chun deiridh leis an obair.

We had a great ~ in Spain. Bhí an-saol againn sa Spáinn.

We have tons of ~. Tá greadadh ama againn.

when I have ~ on my hands nuair a bhíonn am le cois agam

You're behind the ~s. Tá tú seanaimseartha.

You're just in ~. Tá tú go díreach in am.

tin-pot

some ~ idea

smaoineamh suarach beag le rá

He has a ~ business down in Skibbereen.

Tá gnó bhothán mo mháthar aige thíos sa Sciobairín.

tinker

I don't give a ~'s cuss who owns it.

Is cuma sa diabhal liomsa cé leis é.

~, tailor, soldier, spy.

tincéir, táilliúir, saighdiúir, spiaire.

tinkle

Give me a ~ some time!

Tabhair scairt dom am éigin!

tip

It's on the ~ of my tongue.

Tá sé ar bharr mo theanga agam.

This is just the ~ of the iceberg.

Níl anseo ach tosach na stoirme.

if you take a ~ from me

má ghlacann tú cogar uaimse

She's a teacher to her finger- ~s.

Is múinteoir go smior í.

That ~ped the scales in his favour.

Thug sin an buntáiste beag a bhí de dhíth air.

Did you give the waiter a ~?

Ar thug tú síneadh láimhe don fhreastalaí?

to walk on your ~ toes
siúl ar do bharraicíní
This room is a ~! Níl sa seomra seo ach brocais!

tipsy
> **She got ~.** D'éirigh sí súgach.

tit
> **~ for tat**
> cor in aghaidh an chaim

to-ing
> **There was a large crowd ~ and fro-ing all the time.**
> Bhí slua mór anonn is anall an t-am ar fad.

toast
> **I'm as warm as ~ here by the fire**
> Táim do mo ghoradh go maith cois na tine seo.
> **I would like to ~ the newly-weds!**
> Ba mhaith liom sláinte na lánúine nua-phósta a ól!

toe
> **You had better keep on your ~s.**
> Ba chóir duit bheith ar d'airdeall.
> **to ~ the party line**
> déanamh de réir rialacha an pháirtí
> **He has to ~ the party line.**
> Ní mór dósan seasamh ar an gcailc.
> **I don't want to tread on anyone's ~s.** Ní theastaíonn uaim bheith ag satailt ar chosa dhaoine eile., Nílim ag iarraidh bheith ag innilt ar thalamh nach liom., Ní bhíonn uaim bheith ar féarach i ngort mo chomharsan. *(see also: step, tip)*

toffee
> **She can't sing for ~.**
> Níl nóta ina ceann.

token
> **as a ~ of my love for you**
> mar chomhartha de mo ghrá duit
> **by the same ~** dá chomhartha sin
> **book ~** éarlais leabhar

told
> **I ~ you so!** Nach mise a dúirt leat é!

If all were ~!
Dá mbeadh fios an scéil go léir ag an saol!
(see also: tell)

Tom

I don't want every ~, Dick and Harry using my bike!
Ní theastaíonn uaim go mbeadh gach uile dhailtín ag
baint úsáid as mo rotharsa!

He's a peeping ~! Is gliúmálaí é!

tone

to ~ down a report tuairisc a mhaolú

Don't you use that ~ with me!
Ná labhair de ghlór sotalach mar sin liomsa!

tongue

He gave a ~ -in-cheek reply to provoke the speaker.
Thug sé freagra ó na fiacla amach chun fearg a chur
ar an gcainteoir.

Hold your ~! Éist do bhéal!
(see also: tip)

tooth

She fought for women's rights ~ and nail.
Throid sí a raibh ina corp ar son ceart na mban.

He has got a bit long in the ~.
Tá na géaráin curtha go maith aige faoi seo.

He has a sweet ~.
Is beadaí é.

top

at the ~ of your voice
in ard do ghutha, in ard do chinn

He's getting thin on ~.
Tá sé ag éirí maol.

He blew his ~ when she came home late again.
Chuaigh sé as a chrann cumhachta nuair a tháinig
sí abhaile déanach arís.

I couldn't give you the answer off the ~ of my head.
Ní fhéadfainn an freagra a thabhairt duit lom láithreach.

His statement was way over the ~.
Bhí sé ag dul thar fóir ar fad ina ráiteas.

on ~ of it all mar bharr ar an iomlán

He is one of the ~ dogs.

Is ceann de na boic mhóra é.

I'm in ~ form. Táim i mbarr mo mhaitheasa.

I slept like a ~. Chodail mé spuaic mhaith.

A hundred Euro ~s! Céad Euro ar a mhéad!

torch

    He handed on the ~ to his son.

    D'fhág sé an dualgas le oidhreacht dá mhac.

torn

    I was ~ between the two choices.

    Bhí mé i gcás idir dhá chomhairle faoin dá rogha a bhí agam.

    That's ~ it! Sin buille na tubaiste!

toss

    She's always arguing the ~. *(i.e. impossible to please)*

    Dá gcuirfeá an cnoc thall ar an gcnoc abhus ní bheadh
    sí buíoch díot tráthnóna.; Bíonn sí de shíor ag argóint.

    It's just a ~ up. Níl ann ach de réir mar a thitfidh.

    I don't give a ~! Is cuma sa diabhal liom!

    Our team won the ~.

    Thit crann an áidh ar ár bhfoireann.

touch

    ~ of class braon na galántachta

    ~ of a cold creathán de shlaghdán

    ~ of emotion creathán tochta

    ~ of fever sceitse den fhiabhras

    ~ of garlic blas gairleoige

    ~ of satire iarracht den aoir

    He has a delicate ~.

    Tá lámh éadrom aige.

    I've lost ~ with them.

    Chuaigh siad ó chaidreamh orm.

    I'll be in ~ with you.

    Beidh mé i dteagmháil leat.

    It was ~ and go for us for a long time. Is ar éigean a
    bhíomar os cionn uisce ar feadh tamaill fhada.

    It seemed to us to be ~ and go for the patient yesterday.

    Chonacthas dúinn go raibh an t-othar ar an dé deiridh inné.

    The ball is in ~. Tá an liathróid thar an taobhlíne.

the finishing **~es** an deismíneacht bheag bhreise
I have just to put the finishing touches to the work.
Níl le déanamh agam ach bailchríoch a chur ar an obair.
He's ~ed. Tá boc mearaí air.
I was ~ed by your kindness.
Chuaigh do chineáltas go croí ionam.

tough

When the going gets ~ that's when the ~ get going!
Dá chruacht an saol is crua an Gael!, Cruthaíonn cruatan an fear!,
Is sa chruatan a chruthaítear laoch.
That's ~! Tá sin go bocht!
He's a ~ customer. Is é an mac doscúch é.

towel

to throw the ~ in do lámh a chur/ a chaitheamh i bpaca
He threw the ~ in. Chaith sé a lámh i bpaca.

tower

She's a ~ of strength. Tá sí ina crann seasta.
He lives in an ivory ~. Tá saol an mhadra bháin aige.

town

She really went to ~ on him. Níor mhór a luach é nuair
a bhí sí críochnaithe leis., Rinne sí ceirt draoibe de.
We were out on the ~ last night.
Bhíomar ag déanamh spraoi sa chathair aréir.
He's the talk of the ~.
Níl ar bhéal an phobail ach é.

track

I've lost ~ of them.
Chaill mé tuairisc orthu.
I had better make ~s.
Caithfidh mé greadadh liom.
You're away off the beaten ~.
Tá tú imithe ar seachrán ar fad.
He has a one - ~ -mind.
Ní bhíonn ach an t-aon phort amháin ina cheann aige.

trade

to ~ in a car
carr a thabhairt isteach mar pháirt-íocaíocht.
He ~d on her ignorance. Tháinig sé i dtír ar a haineolas.

trail-blazer

   She's a ~ in her work on astrophysics.
   Is ceannródaí í san obair a dhéanann sí ar an réaltfhisic.

tread

   She's just ~ing water.
   Níl sí ach ag snámh ina seasamh.
   ~ softly ! Siúil go ciúin!, Bí go cúramach!

tree

   You're barking up the wrong ~
   Tá an diallait ar an each contráilte agat!
   We can't see the wood for the ~s.
   Táimid caillte sna mionrudaí!

trembling

   I was in fear and ~ that you would be caught.
   Bhí mé ar aon bharr amháin creatha ar eagla go
   go mbéarfaí ortsa.

trial

   ~ by jury triail choiste
   The solution was found by ~ and error.
   Thángthas ar an réiteach de bharr tástála agus earráide.
   ~ flight eitilt thástála.

triangle

   the eternal ~ an triantán síoraí

tribute

   The book she wrote is a great ~ to her.
   Tá onóir mhór tuillte aici as an leabhar a scríobh sí.
   I would like to pay ~ to all those who helped us
   with the work. Ba mhaith liom buíochas a ghabháil
   le gach duine a chabhraigh linn san obair.

trice

   in a ~ le hiompú do bhoise

trick

   How's ~s?
   Conas tá cúrsaí?
   That'll do the ~.
   Déanfaidh sé sin an beart.
   He never misses a ~.
   Ní éalaíonn aon rud uaidh.

It's one of the ~s of the trade.

Is cuid d'ealaín na ceirde é.

He's up to his old ~s again.

Tá i mbun a sheanchleasaíochta arís.

She still has a ~ or two up her sleeve.

Tá cleas nó dhó ar eolas aici fós.

He's a ~y customer. Is iomaí lúb ina chorp siúd.

confidence ~ cleas caimiléireachta, feall ar iontaoibh

It's a ~y situation. Is scéal íogair é.

trigger

The police became very ~ -happy.

D'éirigh na póilíní ró-thapa ar úsáid a ngunnaí.

trooper

He swears like a ~.

Bíonn sí ag mallachtú ar nós an diabhail

trot

My job keeps me on the ~.

Baineann mo chuid oibre sodar gan stad asam.

He's always ~ting out lame excuses. Bíonn caise de
leithscéalta bacacha de shíor ag sileadh uaidh.

trouble

What's the ~? Cad tá cearr?

You're (just) asking for ~. Níl tú ach ag tarraingt na
trioblóide ort féin., Níl tú ach ag tuar an dochair duit féin.,
Ag cothú achrainn duit féin atá tú.

I'm sorry to put you to so much ~.

Tá brón orm an oiread sin trioblóide a chur ort.

I'm giving you a lot of ~! Tá tú cráite agam!

It's no ~ at all! Ní dua ar bith é!

He has heart ~. Tá croí ag cur air.

to get a girl into ~ cailín a chur ó chrích

The ~ is we have no money.

Is é an fhadhb nach bhfuil aon airgead againn.

When ~s come they never come singly!

Nuair a thig cith, tig balc!

trousers

She wears the ~. Uirthi siúd atá na brístí.

truck

I have no ~ with liars.
Ní bhíonn baint ná páirt agam le lucht éithigh.

true

Dreams come ~.
Fíoraítear aislingí.
His story doesn't ring ~.
Níl craiceann fírinne ar a scéal.

truly

~ I don't know why.
Déanta na fírinne níl a fhios agam cén fáth.
No one knows it better than yours ~.
Níl aon duine is fearr a fhios sin ná ag an mac seo.

trump

He always comes up ~s. *(reliable)* Ní loicfidh an fear sin
choíche ort.; *(always wins out)* Titeann sé i gcónaí ar a chosa.,
Bíonn an t-ádh ag rith air i gcónaí.
When I lost my job, my friends really turned up ~s,
with paying my rent and so on. Nuair a chaill mé mo
chuid oibre, chruthaigh mo chairde go hiontach maith
le híocaíocht an chíosa dom agus eile.
He was sent to jail on account of some ~ed up charge.
Cuireadh i bpríosún é mar gheall ar choir bhréige éigin
a cuireadh ina leith.

trumpet

He likes to blow his own ~.
Buaileam sciath é.

trust

to accept a thing on ~
glacadh le rud ar a thuairisc

truth

to tell the ~
déanta na fírinne, leis an bhfírinne a rá
There's some ~ in what you say.
Tá cuid den fhírinne agat.
the plain honest ~
lomchlár na fírinne
She told him some home ~s.
D'inis sí fios a thréithe dó.

The ~ will out.

Is cuairteoir déanach an fhírinne ach tiocfaidh gan gó.,
Mór í an fhírinne agus buafaidh sí.

The ~ will never find a home.

Ní bhfaighidh an fhírinne adhairt dá ceann.

try

    I'll ~ my hand at it.

    Féachfaidh mé mo lámh leis.

    The children tried it on with the new teacher. Shíl na
    páistí sop na geire a chuimilt den mhúinteoir nua., Rinne
    na leanaí iarracht an dallach dubh a chur ar an oide nua.

    I tried my very best. Rinne mé mo sheacht ndícheall.

tuck

    They ~ed into the cake. Leag siad isteach ar an cháca.

    ~ in! *(plural)* Déanaigí bhur ngoile!, *(singular)* Déan do ghoile!

tug

    ~ of war tarraingt téide

    The memory ~ged at my heart-strings.

    Chuir an chuimhne sin tocht ar mo chroí.

tune

    He who pays the piper, calls the ~.

    An té a íocann an píobaire leis-sean rogha an phoirt.

    She soon changed her ~.

    Níorbh fhada gur aistrigh sise a port.

    The building is in ~ with its surroundings.

    Tá an foirgneamh ag cur lena thimpeallacht.

    out of ~ as tiúin

turkey

    cold ~ turcaí fuar

turn

    He did me a good ~. Rinne sé gar dom

    Things took a ~ for the worse.

    Chuaigh an scéal chun olcais.

    Things are taking a ~ for the better.

    Tá cuma na maitheasa ag teacht ar an scéal.

    The milk is ~ing. Tá cor sa bhainne.

    She had a (bad) ~ yesterday. Bhuail taom í inné.

    It's your ~ now! Is leatsa anois é!

We took it in ~s. Rinneamar uainíocht air.

He ~ed into a drunk. D'éirigh sé ina mheisceoir.

They ~ed into swans. Rinneadh ealaí díobh.

It's ~ing cold. Tá sé ag éirí fuar.

They ~ed on their own father.
D'iompaigh siad i gcoinne a n-athar féin.

We can't ~ back the clock.
Ní féidir linn an clog a chasadh siar.

The weather ~ed out fine. Rinne sé aimsir bhreá.

As it ~ed out you were right. Faoi mar a tharla bhí an ceart agat.

He'll ~ up one of these days. Tiocfaidh sé lá de na laethanta seo.

Something will ~ up! Béarfaidh bó éigin lao éigin lá éigin!

twice

    I'd think ~ before I said anything like that.
Dhéanfainn machnamh maith sula ndéarfainn
aon rud mar sin.

    She didn't have to be asked ~.
Ní raibh fiacha iarraidh an dara uair uirthi.

twinkling

    in the ~ of an eye i bhfaiteadh na súl

twist

    Don't get your knickers in a ~!
Ná déan trillín de thriblid!, Tóg go bog é!,
Ná caill do ghuaim ar fad!

    She can ~ him round her little finger.
Tá sé ar teaghrán aici.

    She ~ed the truth.
Chuir sí an fhírinne as riocht.

    He ~ed her arm into marrying him.
Rinne sé gach casadh agus lúbadh go bpósfadh sí é.

    He's round the ~. Tá boc mearaí air.

two

    I am in ~ minds about it.
Táim i gcás idir dhá chomhairle faoi.

    **You can't keep it a secret. People will soon put ~
and ~ together.** Ní féidir leat é a choimeád ina rún.
Ní fada go gcuirfear a dó is a dó le chéile.,
Ní fada go dtuigfidh gach aon duine an scéal.

There are no ~ ways about it.
Níl an dara léamh ar an scéal.
~ heads are better than one.
Is fearr dhá chloigeann ná ceann.
They're ~ of a kind.
Tá siad mar an gcéanna iad.
I'll be back in ~ shakes of a lamb's tail.
Beidh mé ar ais i bhfaiteadh na súl.
He's a ~-timer. Is Taghd an dá ghrá é.

U

U
> **The party made a complete ~-turn in its policies.**
> Rinne an páirtí aisiompú iomlán ina pholasaithe.

ugly
> **as ~ as sin**
> chomh gránna le muc
> **He cut up ~.**
> Thaispeáin sé go raibh an drochbhraon ann.
> **the ~ duckling** an t-éinín lachan gránna

umbrage
> **He took ~ at his name not being mentioned.**
> Tháinig múisiam air ó nach luadh a ainm.

uncle
> **He talked to me like a Dutch ~.**
> Thug sé comhairle na seacht seanóirí dom.
> **~ Sam** uncail Sam

under
> **I'm a bit ~ the weather today.**
> Nílim ionam féin inniu., Nílim céad faoin gcéad inniu.
> **It's right ~ your nose.**
> Tá sé os cionn do dhá shúil.

I went there ~ my own steam.
Chuaigh mé ann ar mo chonlán féin.
The ship is ~ way.
Tá an long faoi shiúl.
We have everything ~ control.
Tá gach rud faoi smacht againn.
She has him ~ her thumb.
Tá sé faoi bhos an chait aici.
The lift is ~ repair.
Tá an t-ardaitheoir á dheisiú.
~ the cover of night
faoi choim na hoíche

understand

I was given to ~ that she would be late.
Tugadh le tuiscint dom go mbeadh sí déanach.
Am I to ~ that you will not be there?
An bhfuil tú á rá liom nach mbeidh tú anseo?
As I ~ it he will be our new president. De réir mar
a thuigim beidh seisean ina uachtarán nua againn.
unsound
He is of ~ mind. Tá saochan céille air.
unstuck
Our plans have come ~.
Thit ár bpleananna as a chéile.
up

What's ~? Cad tá ar siúl?
What's she ~ to? Cad tá ar bun aici?
to go ~ the social ladder dul suas an dréimire sóisialta
to come ~ from nothing teacht aníos ón bhochtaineacht
The moon is ~. Tá an ghealach ina suí.
The game is ~! Tá an cluiche caillte!, Tá an cluiche thart!
It's all ~ with him. Tá a chosa nite.
There is something ~. Tá rud éigin ar cois.
Money ~ front! Airgead síos!
Road ~! Bóthar á dheisiú!
Time is ~! Tá an t-am istigh!
Speak ~! Labhair amach!

Face ~ to it! She's not coming back!
Féach ar an scéal mar atá! Níl sí ag teacht ar ais!

She's ~ and about again. Tá sí thuas ar a cosa arís.

I waited ~ all night. D'fhan mé i mo shuí go maidin.

You will be ~ against it.
Beidh an saol is a mháthair i do choinne.

Will he be ~ to the job?
An mbeidh sé in ann don obair?

It's ~ to you! Fút féin atá sé!

I'll leave it ~ to you. Fágaim fút féin é.

The ~s and downs of life cora crua an tsaoil

to ~ the ante na geallta a ardú

upper

He got the ~ hand on them.
Fuair sé an lámh in uachtar orthu.

Keep a stiff upper ~!
Déan cruachan in aghaidh na hanachaine!

He is down on his ~s.
Tá sé sna miotáin.

the ~ forms na hardranganna

upshot

The ~ of it was he got the sack. Ba é deireadh agus críoch an scéil é ná gur tugadh an bóthar dó.

upside

If you look on the ~, we'll have longer holidays now.
Ar an taobh geal den scéal beidh ár laethanta saoire níos faide anois.

The new manager turned everything ~ down.
Rinne an bhainistíocht nua cíor thuathail de gach rud.

Everything is ~ down. Tá gach rud bunoscionn.

uptake

He's a bit slow on the ~.
Tá sé go fadálach ag tuiscint rudaí.

She's very quick on the ~. Tá sí go han-tapa ag tuiscint rudaí.,
Tá sí go han-phiocúil.

uptight

What are you so ~ about? Cad tá ag déanamh scime duitse?

up-to-date

A map that is ~. Léarscáil atá suas chun dáta.

use

to make ~ of the bike úsáid a bhaint as an rothar
What's the ~? Cén mhaith é?
What ~ will that be to you? Cén tairbhe duit as sin?
It's no ~. Níl maith ann.
It no ~ at all. Níl maith ar bith ann.,
Ní thiocfaidh maith ar bith as.
~less thing rud gan mhaith
in ~ in úsáid
out of ~ as úsáid
That will come in ~ful. Tiocfaidh sé sin isteach úsáideach.

V

vain

in ~ in aisce
They worked in ~. Saothar gan tairbhe a bhí acu.
to take God's name in ~
ainm Dé a thabhairt gan fáth

vale

~ of tears fód na haithrí

value

It's of little ~. Is beag is fiú é.
face ~~ luach ainmniúil
You mustn't take everything at face ~~.
Is minic nach ionann an cófra agus a lucht.

variety

~ is the spice of life.
Bíonn blas ar an ilghnéitheacht.,
Saibhreas an tsaoil san éagsúlacht.
for a ~ of reasons ar iliomad cúiseanna

veil

~ed hostility naimhdeas faoi cheilt

velvet

She is an iron fist in a ~ glove.

Is bean í a bhfuil iarann ina croí aici.

vengeance

> **"~ is mine!", saith the Lord!**
> "Liomsa an díoltas!", arsa an Tiarna.
> **It raining with a ~.** Tá sé ag cur báistí ar nós an diabhail.

vent

> **She ~ed her anger on me.** Lig sí a fearg amach ormsa.

venture

> **Nothing ~ed, nothing gained!**
> Ní fhaigheann cos ina cónaí dada!

very

> **The ~ thing!** Sin go díreach an rud é!

vessel

> **Empty ~s make most noise.**
> Cloistear gligín i bhfad.

vested

> **~ interests** leasa bunaithe
> **He has a ~ interest.**
> Ar a leas féin atá sé.

vexed

> **~ question** ceist achrannach

vicious

> **~ circle**
> ciorcal lochtach

victory

> **The party had a landslide ~ in the election.**
> Thaobhaigh na vótálaithe ina dtuile sléibhe leis
> an bpáirtí sa toghchán.
> **He had a Pyrrhic ~.**
> Ní raibh bua ach in ainm ann aige.
> *(see also: Pyrrhic)*

view

> **in my ~** i mo thuairimse
> **from this point of ~**
> de réir an dearcaidh seo
> **He has his own point of ~.**
> Tá a dhearcadh féin aige.
> **in ~ of the fact that he was late**

ó tharla go raibh sé déanach

They went there with a ~ to buying a house.
D'fhonn teach a cheannach a chuaigh siad ann.

He takes a very dim ~ of anyone smoking.
Is beag an meas a bhíonn aige ar éinne a bhíonn
ag caitheamh tobac.

houses on ~
tithe ar taispeáint

villain

However, it is Pádraig Mac Cárthaigh who is the
real ~ of the piece. Ach is é Pádraig Mac Cárthaigh
atá ina bhithiúnach ceart sa dráma.

virtue

by ~ of the fact that he was a prefect
de thairbhe a shuímh mar mhaor scoile

by ~ of this fact
dá thairbhe sin

vital

It's ~ that you tell him.
Tá sé go ríthábhachtach go ndéarfaidh tú leis.

~ statistics staitistic bheatha

voice

at the top of your ~
in ard do ghutha

I hope you're in good singing ~ today!
Tá súil agam go bhfuil guth maith chun ceoil agat inniu!

I have no ~ in the matter.
Níltear chun éisteacht liomsa sa ghnó seo.

in a gentle ~ de ghlór caoin

with one ~ d'aon ghuth

volumes

It speaks ~ for her courage.
Is mór an comhartha é sin dá misneach.

vote

Let's put it to the ~! Cuirimis ar vóta é!

to ask for a ~ of confidence
tairiscint mhuiníne a iarraidh

vulture

culture ~ alpaire cultúir

W

wade
> I ~d my way through the book.
> Rinne mé mo shlí a threabhadh tríd an leabhar.

wagging
> It's a case of the tail ~ the dog.
> Is cás é den eireaball ag croitheadh an mhadra.
> There were tongues ~.
> Bhíothas ag béadán.

wagon
> He's been on the ~ for the last couple of weeks.
> Níl sé ag baint dó le cúpla seachtain anuas.

wait
> Repairs while you ~! Deisiúchán láithreach!
> Let's ~ and see! Fanaimis go bhfeicfimid!
> I'm sorry for keeping you ~ing.
> Tá brón orm moille a chur ort.
> lady in ~ing bean choimhdeachta
> She ~s on him hand and foot.
> Bíonn sé á chur ó bhois go bois aici.

wake
> in the ~ of the ship i marbhshruth na loinge
> She came into the room in Mrs Ryan's ~.

Tháinig sí isteach sa seomra ar shála Bhean Uí Riain.

to go to a person's ~ dul ar fhaire duine

~ up and smell the coffee! Dúisigh tú féin agus tar ar do chiall!.

Dúisigh tú féin - tá an saol mór ar siúl lasmuigh!

~ house teach faire

walk

She ~s all over him. Bíonn sí ag satailt air.

I was ~ing on air. Bhí mé ar muin na muice.,

Bhíos ar scamall a naoi.

in that ~ of life sa tslí bheatha sin

It was easy for him – he ~ed it.

B'éasca an rud dó é – rinne (sé) gan stró é,

wall

His business went to the ~.

Thit an tóin as a ghnó.

You might as well be talking to the ~.

Is cuimilt mhéire do chloch é.,

Tá sé mar a bheifeá ag iarraidh tine a fhadú faoi loch.

They ran up against a brick ~.

Bhuail constaic gan bhogadh ina n-aghaidh.

~s have ears. Bíonn cluasa ar na claíocha.

I would love to be a fly on the ~ in the headmaster's office. B'aoibhinn liom bheith in ann cúléisteacht a dhéanamh in oifig an ardmháistir.

The writing is on the ~! Tá an scríbhinn ar an mballa!

As regards Mussolini – the writing was on the ~.

Maidir le Mussolini, bhí a phort seinnte.

wane

His star is on the ~.

Tá a réalta ag meath.

want

to be in ~ bheith ar an ngannchuid, bheith ar an anás

for ~ of a better word de cheal focail eile

for ~ of imagination d'uireasa easpa samhlaíochta

I ~ for nothing. Níl easnamh ar bith orm.

He was put in the scales and found ~ing.

Cuireadh sa mheá é agus fuarthas folamh é.

war

~ of words cogadh béil, sáraíocht

We're on a ~ footing.
Táim i dtreo cogaidh.

to set a country on a ~ footing
tír a dhéanamh réidh don chogadh

You look as if you've been in the ~s lately.
Tá a dhealramh ort go bhfuair tú do chíorláil
le tamall beag anuas.

Keep away from him – he's on the ~ path today.
Fan amach uaidh – ar lorg troda atá sé inniu.

I'm ~ -weary.
Táim tuirseach traochta den síorchogadh/ síorchoimhlint.

warm

~ thanks buíochas ó chroí

She has a ~ heart. Tá croí mór aici.

We never ~ed to each other. Ní raibh eadrainn choíche
ach aithne na mbó maol ar a chéile.

The game was ~ing up. Bhí beocht ag teacht sa chluiche.

The athlete ~ed up before the race. Rinne an lúthchleasaí
é féin a théamh (suas) roimh an chluiche.

It ~ed the cockles of my heart. Chuir sé ola ar mo chroí.

(in game) **You're getting ~.**
Tá tú ag teannadh leis., Tá tú ag éirí te.

warts

She accepted him as he was ~ and all. Ghlac sí leis
mar a bhí, a dhea-chroí agus a chuid lochtanna araon.

wash

I feel ~ed out. Táim tugtha tnáite.

The play was a ~ -out. Níorbh fhiú cipín dóite an dráma.,
Bhí an dráma go hainnis ar fad.

You shouldn't ~ your dirty linen in public.
Ní cóir do náire a ligean leis na comharsana.

He's a ~ed-up movie star.
Is réalta scannáin atá caite i gcártaí é.

That won't ~ with me!
Ní bhainfidh a leithéid aon mhealladh asamsa!

waste

Don't ~ your breath!

Ná cuir do chuid cainte amú!

It's a ~ of time! Is diomailt aimsire é!

What a ~! Nach mór an cur amú é!

a ~ed life saol amú

~ing disease cnaíghalar

The land is going to/ is being laid ~.

Tá an talamh ag dul chun báin/ á bhánú.

~ not want not! Ná bí caifeach is ní bheidh tú gann!

watch

    ~ it! Aire duit féin!, Fainic!

    to keep a ~ out in case a teacher is coming bheith san airdeall ar eagla go dtiocfadh múinteoir ar an láthair

water

    like ~ off a duck's back amhail an ghrian ag dul deiseal

    That argument doesn't hold ~. Ní sheasann an argóint sin.

    She went through hell and high ~ to get to the top.

Thug sí farraigí móra agus tinte ifrinn uirthi féin chun an barr a bhaint amach., Chuaigh sí sa bhearna bhaoil chun an barr a shroicheadh.

    to ~ down a statement ráiteas a mhaolú

    She's in deep ~ now. Tá sí i gcruachás anois.

    That's all ~ under the bridge. Is iomaí lá ó shin ó tharla sin., Is uisce faoin droichead anois é sin.

Waterloo

    He met his ~. Fuair sé lá a threascartha., Fuair sé a threascairt.

    It was in the following election he met his ~.

Ba sa toghchán ina dhiaidh sin ar baineadh céim síos as.

wave-length

    We're not on the same ~ at all.

Ní bhímid ag teacht lena chéile ar chor ar bith.,

Ní bhíonn aon chomhaontú smaointe eadrainn.

way

    By the ~, I was speaking with Seán.

Dála an scéil, Bhí mé ag caint le Seán.

    He went his own ~. Chuaigh sé a bhealach féin.

    in some out-of-the-~ spot i mball iargúlta éigin

    You can't have it both ~s.

Ní féidir é bheith ina ghruth agus ina mheadhg agat.

There are no two ~s about it.
Níl ach aon insint amháin ar an scéal.
all the ~ an bealach iomlán
in a ~ ar bhealach
in that ~ sa tslí sin
Out of the ~! Fág(aigí) an bealach!
I've nothing to say one ~ or the other.
Níl a dhath le rá agam ina leith ná ina aghaidh.
I'll find a ~ of doing it. Gheobhaidh mé caoi lena dhéanamh.
He has a nice ~ with people.
Bíonn dóigh dheas aige le daoine.
Do it the right ~! Déan sa tslí cheart é!

wayside

   The other pupils fell by the ~ in the race for points.
   Thit na daltaí eile ar leataobh i rás na bpointí.

wayward

   ~ pupil dalta spadhrúil
   ~ imagination samhlaíocht gan chosc

weak

   I'm as ~ as a kitten.
   Táim chomh lag le héinín gé.
   He has a ~ness for the drink.
   Tá claon aige leis an ól.
   She had a ~ness for anything sweet.
   Bhí luí aici le haon rud a bhí milis.

wear

   His excuses are beginning to ~ thin.
   Tá an fhoighne beagnach caite agam lena chuid leithscéalta.
   I have nothing to ~!
   Níl aon rud fiúntach le caitheamh agam.
   I'm worn out with the work.
   Táim cloíte ag an obair.
   Don't ~ yourself out with the work!
   Ná tabhair marú an daimh duit féin leis an obair!
   She ~s her heart on her sleeve.
   Tá a croí ar a bois aici.
   His foot is sore?! - I won't ~ that!
   Tá a chos tinn?! – Ní ghlacaim leis sin!

until the ill-effects of the drugs have completely worn off
go dtí go bhfuil drochiarsma na ndrugaí imithe ar fad

weather

in all ~s fliuch fuar an lá, (sa) soineann agus doineann

He was making heavy ~ of the work.
Bhí sé ag treabhadh go maslach tríd an obair.

I'm a bit under the ~ today.
Nílim go hiomlán ar fónamh inniu.,
Nílim ionam féin inniu.

There's stormy ~ ahead.
Tá farraigí móra os ár gcomhair.

to ~ the storm an stoirm a sheasamh

weave

to ~ a plot comhcheilg a bheartú
Ní sheasann an argóint sin.

to be weaving through the traffic
bheith ag snoí tríd an trácht

wedding

Do I hear ~ bells? An bhfuil an pósadh san aer?
An gcloisim an mháirseáil bhainise?
(see also: shot)

wedge

This is the thin end of the ~.
Is é seo ceann caol na dinge é.

I was ~d in between the two of them.
Bhí mé brúite isteach idir an bheirt acu.

weed

He's a little ~.
Is geosadán bídeach é.

They ~ed out the weakest candidates amongst them.
Scag siad amach na hiarrthóirí ba laige orthu.

weigh

It ~s heavy on my mind.
Tá sé ag goilleadh go mór ar m'intinn agam.

That's a ~t off my mind.
Is mór an faoiseamh aigne é sin.

to ~ up a situation suíomh a mheas

He's worth his ~t in gold.

Is fiú a chothrom féin den ór é.

welcome

~ **home!** Fáilte romhat abhaile!

May I try it? – You're more than ~!

Ar mhiste liom triail a bhaint as? – Tá fáilte is fiche romhat!

They made us feel very ~.

Chuir siad fáilte Uí Cheallaigh romhainn.

I was given a really warm ~.

Cuireadh fíorchaoin fáilte romham.

She has worn out her ~.

Tá aga na fáilte caite aici.

cold ~ fáilte dhoicheallach

well

Very ~! maith go leor!

That's all very ~ but he's still only a child.

Tá sin ceart go leor ach níl ann ach páiste fós.

She did as ~ as she could.

Rinne sí a dícheall.

You would do ~ not to mention it.

Ba é do leas é gan é a lua.

It's ~ you came.

Is maith an rud é gur tháinig tú.

You might as ~ say she passed the exam.

Is ionann é sin agus a rá gur éirigh léi sa scrúdú.

I meant ~. Is le dea-rún a rinne mé é.

It serves you jolly ~ right! Is maith an airí ort é!

Take me with you as ~. Tóg mise leat freisin.

I was there as ~. Bhí mise ann chomh maith.

He's very ~meaning. Bíonn deachroí aige.

~ **before my time**

i bhfad roimh mo theacht ar an saol seo

As ~ as that she has Spanish.

Chomh maith leis sin tá Spáinnis aici.

The patient is as ~ as can be expected.

Tá an t-othar chomh maith agus is féidir bheith ag súil leis.

I can sing every bit as ~ as you can.

Táim in ann canadh gach pioc chomh maith leatsa.

They are ~ off. Tá siad go maith as.

He's ~ up in history.

Tá eolas mór ar an stair aige.

west

   to go ~ dul siar

   to come from the ~ teacht aniar

   in the ~ of Ireland in iarthar na hÉireann

wet

   He's still ~ behind the ears. Tá sé glas go fóill.

   He's a bit of a ~ blanket. Tá iarracht den seargánach ann.

   I'm soaking ~. Táim fliuch báite.

   to ~ one's whistle do phíobán a fhliuchadh

whale

   They had a ~ of a time on holiday in Malaga.

   Bhí an-saoire acu i Malaga.

   We had a ~ of a time at the party last night.

   Bhí an-oíche againn ag an chóisir aréir.

what

   ~ for?

   Cad chuige?

   She gave him ~ for.

   Thug sí íde béil dó.

   ~ of it?

   Nach cuma?

   ~ next?!

   A leithéid!

   ~'s it about?

   Cad faoi a bhfuil sé?

   ~ about a game of cards?

   Cad a déarfá le cluiche cártaí?

   ~ a hurry you're in!

   Murab ortsa atá an deifir!

   come ~ may

   cibé rud a tharlóidh

   ~ I feared has happened.

   An rud a raibh eagla orm roimhe, tharla sé.

   ~ is it like?

   Céard leis is cosúil é?

~ **is she like?**
Cé leis is cosúil í?

She knows ~'s ~. Níl aon néal uirthi siúd.

whet

It ~ed **my appetite.**
Ghéaraigh sé ar mo ghoile.

while

for a ~ ar feadh tamaill
after a ~ tar éis tamaill
in a ~ i gceann tamaill
once in a ~ anois is arís
It's worth your ~. Is fiú duit é.

whip

She has the ~ hand.
Tá an lámh in uachtar aicise.

The management is looking for a ~ing boy to cover up their own mistakes. Tá ceap milleáin á lorg ag an bhainistíocht chun a mbotúin féin a cheilt.

whisker

They won the election by a ~.
Is ar éigean a bhuaigh siad an toghchán.

whisper

It is ~ed that she wants to marry him.
Bíonn sé ag dul thart os íseal go dteastaíonn uaithi é a phósadh.

in a stage ~ i gcogar a chloiseann cách
~ing gallery ceárta cheilge

whistle

as clean as a ~ chomh glan le criostal
She can ~ for it!
Féadfaidh sí a beannacht a scaoileadh leis!
to wet one's ~ do phíobán a fhliuchadh
She blew the ~ on what was going on.
Nocht sí an scéal faoina raibh ar siúl.
~ -blowers lucht séidte feadóige
She was the ~. Ba ise bean nochta an scéil.

white

She was as ~ as a sheet.

Bhí sí chomh bán le mo léine.

as ~ as snow

chomh bán le sneachta

He turned ~.

D'iompaigh an lí air., Tháinig dath an bháis air.

The new factory was another ~ elephant.

Bhí an mhonarcha nua ina eilifint bhán eile.

whiz(z)

I hear he's a bit of a ~ -kid.

Cloisim gur féidir leis míorúiltí a dhéanamh.

She ~ed past us.

Sciorr sí tharainn ar luas lasrach.

who

~ does she think she is?!

Cad é an chéimíocht a mheasann sí bheith aici?!

~ cares?!

Nach cuma?!

~ on earth are they?!

Cé faoin spéir atá iontu?!

Knock! Knock! Who 's there? Cnag! Cnag! Cé 'tá ann?

wholesale

It's ~ robbery!

Is é an ghadaíocht i lár an lae ghil é!,

Is gadaíocht gan náire é!

~ slaughter ár coitinn

why

the ~s and wherefores of the case

bun agus lorg an cháis

~ not?

Cad chuige nach ea?

wick

He gets on my ~.

Feidhmíonn sé ar mo néaróga.

wicked

(wonderful) **That's ~!**

Tá sin thar barr!

(very bad) **The weather was ~.**

Ba chaillte an aimsir í.

wild

> **to go out into the ~**
> dul amach sna réigiúin fhiáine
> **The children ran ~.**
> D'imigh na páistí le báiní.
> **~ horses wouldn't drag it out of me.**
> Dá mbrisfí coill orm, ní sceithfinn é.
> **It spread like ~ fire.**
> Scaip sé ina loscadh sléibhe.
> **She sent me off on a ~ goose chase.**
> Chuir sí ar lorg na gaoithe Márta mé.
> *(see also: oats)*

will

> **Fire at ~!**
> Scaoiligí de réir bhur dtola!
> **She did it of her own free ~.**
> Rinne sí dá deoin féin é.
> **He lost the good ~ of the staff.**
> Chaill sé dea-mhéin na foirne.
> **He did it out of ill- ~.**
> Le mírún a rinne sé é.
> **With the best ~ in the world you won't be able to do that.**
> Fiú má dhéanann tú do sheacht ndícheall ní éireoidh leat
> é sin a dhéanamh.

willies

> **He gives me the ~.**
> Cuireann sé drithlíní fuachta liom.

win

> **It's a ~/~ situation.**
> Is suíomh é a bhfuil bua ag gach taobh ann.
> **You can't ~ with her!**
> Dá gcuirfeá an cnoc abhus ar an chnoc thall, ní
> bheadh sí sásta leat tráthnóna.
> **She won her way.** Fuair sí cead a cinn di féin.
> **Anthony won over his audience.**
> Thug Anthony a lucht éisteachta leis.
> **They won through in the end.**
> D'éirigh leo sa deireadh., Bhí an bua leo sa deireadh.

wind

>**if she gets ~ of it** má fhaigheann sise gaoth an fhocail
>
>**He got ~ of it.** Chuala sé cogar an scéil.
>
>**It's an ill ~ that blows nobody any good.**
>Is olc an ghaoth nach séideann do dhuine éigin.
>
>**You really put the ~ up me!**
>Nach tusa a chuir eagla mo chraicinn orm!
>
>**You're sailing close to the ~.** Tá tusa ag rith ar thanaí.
>
>**He ran like the ~.** Rith sé ar nós na gaoithe.
>
>**That took the ~ out of her sails.** Bhain sin an ghaoth dá seolta.
>
>**to see which way the ~ blows** féachaint conas a rachaidh
>an scéal, féachaint cén aird ghaoithe atá ann

windfall

>**Getting the money was a wonderful ~.**
>An t-airgead a fuarthas, b'iontach an t-amhantar é.

windmills

>**tilting at ~** ag dul i ngleic le muilte gaoithe,
>ag dul i ngleic le samhailtí baoise

window

>**That's just ~ -dressing.** Níl ansin ach seó.
>
>**We went ~ -shopping.**
>Chuamar ag féachaint timpeall na siopaí.

wine

>**He ~d and dined her.**
>Chuir sé bia agus deoch ar an mbord roimpi.

wing

>**She took me under her ~.** Chuir sí faoina coimirce mé.
>
>**clipped ~s** sciatháin bhearrtha
>
>**The school clipped her ~s.**
>Mhaolaigh an scoil í., Bhain an scoil siar aisti.
>
>**I haven't written a speech. I'll just ~ it.**
>Níl óráid scríofa agam. Labhróidh mé gan ullmhú.
>
>**waiting in the ~s** ag feitheamh ar an cliatháin

wink

>**I had forty ~s.** Chodail mé néal.
>
>**to tip the ~ to a person** leid a thabhairt do dhuine

wipe

>**He ~d my eye.** Chuir sé dallamullóg orm.

She ~d the floor with him.
Rinne sí ceirt draoibe de., Thug sí léasadh dá teanga dó.

to ~ out a nation náisiún a dhíothú

wise

It's easy to be ~ after the event. Ní gaois iarghaois.
**You could slip in the back door and no one would
be the ~r.** D'fhéadfá sleamhnú isteach tríd an doras
cúil gan fhios don saol.
That was a ~ move. Rinne tú an chríonnacht ansin.
It's about time for you to ~ up!
Is mithid duit teacht ar do chiall!
Who's the ~ guy?! Cé hé an fear grinn?!

wish

~ful thinking
comhairle in aice le do thoil
I ~ you well!
Mo bheannacht leat!

wit

Keep your ~s about you!
Bí go hairdeallach!
I'm at my ~'s end.
Tá mé i mbarr mo chéille.
flash of ~ léaspairt

witty

to pass a ~ remark
focal deisbhéalach a rá

witch

They had ~ -hunt against communists.
Rinne siad géarleanúint ar na cumannaigh.
She's an old ~. Is seanchailleach í.

with

I am ~ you there.
Táim ar aon tuairim leat ansin.
To hell ~ him!
Go mbeire and diabhal leis é!
You're not ~ it at all. *(not present in mind)* Tá mearbhall ort.;
(not with the times) Tá tú go seanfhaiseanta ar fad!

woe

~ **is me!** Mo léan!

tale of ~ scéal ainnise

~ **betide him who is without it!**

Is mairg don té gan é!

wolf

He cried ~ too often.

Bhí scéal chailleach an uafáis aige go ró-mhinic.

~ in sheep's clothing.

Sionnach i gcraiceann na caorach

We manage to keep the ~ from the door.

Éiríonn linn an gorta a choinneáil uainn.

He's a lone ~. Is cadhan aonair é.

wonder

It was a nine days' ~.

Bhí comhrá naoi lá air.

No ~ you're tired!

Ní nach ionadh go bhfuil tuirse ort!

wood

What's happening in your own neck of the woods?

Cad tá ag titim amach i do chomharsanacht féin?

We're not out of the ~s yet.

Nílimid thar an mbarra go fóill.

We can't see the ~ for the trees!

Táimid caillte sna mionrudaí ar fad!

Touch ~! Dia idir sinn agus an t-olc!

wool

She pulled the ~ over my eyes.

Chuir sí an dallamullóg ormsa.

His answer was a bit ~y.

Bhí an freagra a thug sé pas beag doiléir/ fánach.

word

~ for ~ focal ar fhocal

in a ~ i bhfocal amháin

in other ~s lena rá ar chaoi eile

~s fail me. Níl insint bhéil agam air.

We had ~s. D'éirigh eadrainn.

~ came that he was dead.

Tháinig scéala go raibh sé marbh.

I give you my ~.
Tugaim m'fhocal duit air.
I kept my ~.
Chuir mé le m'fhocal.
A ~ in your ear!
Cogar i do chluas duit!, Cogar duit!
He never has a good ~ for anyone.
Ní bhíonn focal deas le rá aige faoi dhuine ar bith.
A ~ to the wise! Is leor nod don eolach!
Bad is not the ~ for it!
Tá sé thar bheith olc!
The ~ of God Briathar Dé

work

All ~ and no play makes Jack a dull boy!
Ná cuir tú féin thar do riocht le hobair!,
Ná maraigh tú féin leis an obair!
It's all in a day's ~.
Is cuid den obair laethúil é
It's a ~ of art.
Is saothar ealaíne é.
to throw a spanner in the ~s
bata a chaitheamh sa roth
When she was at the hairdressers, she got the ~s.
Nuair a bhí sí ag an ghruagaire, rinne siad jab iomlán ar
a cuid gruaige.
We'll ~ something out.
Tiocfaimid ar shocrú éigin.
You certainly have your ~ cut out.
Nach obair na gcapall é atá le déanamh agatsa!
Everything is in good ~ing order.
Tá gach uile rud i bhfearas go maith.

world

What in the ~ is the matter? Cad faoin spéir atá cearr?
He thinks the ~ of her. Ceapann sé an dúrud di.
I was on top of the ~. Bhí mé ar muin na muice.
all over the ~ ar fud an domhain

What a small ~!
Castar na daoine ar a chéile (ach ní chastar
na cnoic ná na sléibhte)!
That's the way of the ~!
Sin an saol agat!
He has come down in the ~.
Tá sé tagtha anuas sa saol.
The movie was out of this ~.
Bhí an scannán thar barr ar fad.
Isn't the ~ your oyster?!
Nach mbíonn leithead do chos de thalamh an domhain agat?!
All the ~ and his wife were there.
Bhí gach mac máthar Dé ann.
They are ~s apart. Níl cosúlacht dá laghad eatarthu.

worm

The ~ turned.
Chas an phéist.
Even a ~ will turn.
Troidfidh cailleach i gcruachás.
He ~ed his way into her confidence.
Rinne sé í a mhealladh chun a muinín a chur ann.

worn

I'm ~ out.
Táim cnaíte., Táim spíonta.
She is ~ to a shadow.
Níl inti ach a scáil.

worse

Everything is getting ~.
Tá gach rud ag dul in olcas.
Her behaviour was ~ than ever
Ba mheasa ná riamh a hiompar.
So much the ~ for him!
Is amhlaidh is measa dósan!
It was a change for the ~.
Athrú chun na donachta ea ba é.
You could do ~.
Is iomaí rud ba mheasa go bhféadfá a dhéanamh.
I'm none the ~ for it.

Nílim a dhath níos measa dá bharr.

She will not be on our team - ~ luck!

Mar bharr ar an donas ní bheidh sise ar ár bhfoirne!

worst

    ~ of all, he doesn't care.

    Mar bharr ar an donas, is cuma leis!

    The ~ of it is over.

    Tá an chuid is measa de thart.

    when things were at their ~

    an uair ba mheasa an saol

    Do your ~! Déan mar is féidir leat!

    If the ~ comes to the ~ we'll stay at home.

    Ma théann an scéal go cnámh na huillinne,
    fanfaimid sa bhaile.

worth

    for whatever it may be ~

    cibé ar bith is fiú é

    It's not ~ a curse.

    Ní fiú mallacht é.

    It's ~ thinking about.

    Is fiú smaoineamh a dhéanamh air.

    I ran for all I was ~.

    Rith mé an méid a bhí i mo chnámha.

    I want my money's ~.

    Tá luach mo chuid airgid uaim.

    It's not ~ the trouble.

    Ní fiú an saothar é.

wound[1]

    By that you're only rubbing salt into her ~.

    Níl tú ach ag meádú ar a fulaingt leis sin.

    (see also: rub)

wound[2]

    I'm all ~ up about the dentist.

    Táim ar tinneall ar fad ag smaoineamh ar an fhiaclóir.

wrap

    It's a ~! Sin sin!

    Try to keep it under ~s!

    Déan iarracht gan an scéal a ligean amach!

She's very ~ed up in the children.
Tá sí doirte ar fad do na leanaí.
Let's ~ it up for the evening!
Cuirimis críoch leis don oíche!

wrist

The management gave him a slap on the ~.
Thug an bhainistíocht foláireamh beag dó.

write

It's nothing to ~ home about.
Ní ábhar maíte ar bith é., Níl sé thar mholadh beirte.
It was written all over her face.
Bhí sé le haithint go soiléir ina súile.
The writing is on the wall for him.
Tá an scríbhinn ar an mballa dó.

wrong

You are ~.
Tá tú mícheart., Níl an ceart agat.
It was ~ of you to do it.
Níor cheart duit é a dhéanamh.
Two ~s don't make a right.
Ní dhearna dhá bhréag riamh aon fhírinne.
You have the ~ end of the stick altogether!
Tá an chiall chontráilte den scéal ar fad agat!
You're barking up the ~ tree.
Tá an diallait ar an chapall contráilte agat.
You are on the ~ track.
Tá tú dulta amú.
Didn't you get out of the ~ side of the bed today!
Nach tusa a d'éirigh ar do chois chlé inniu!
Rightly or ~ly I have to tell her.
Le ceart nó le héigeart, caithfidh mé a insint di.

Y

yarn

He's great at spinning a ~.
Bíonn sé go breá agus é ag eachtraíocht.

year
>**this ~** i mbliana
>**last ~** an bhliain seo caite
>**next ~** an bhliain seo chugainn
>**for a ~** ar feadh bliana
>**in a ~** i gceann bliana
>**during the ~** i rith na bliana
>**~ in ~ out** gach bliain gan eisceacht ar bith

yesterday
>**the day before ~** arú inné
>**I wasn't born ~.**
>Ní leanbh ó aréir mé.

Z

zenith
>**at the ~ of his power**
>i mbarr a réime

zero
>**~ tolerance** neamhfhulaingt
>**~ hour** an spriocuair
>**~ point** pointe nialais
>**The photographers ~ed in on the star.**
>Chruinnigh na grianghrafadóirí go díreach isteach ar an réalta.

zigzag
>**to go in ~s** dul i bhfiarláin
>**The road ~s all over the place.**
>Tá gach re cor agus casadh sa bhóthar.

zip
>**to ~ past us** scinneadh tharainn
>**Put a ~ in it!** Bí beo leis!